口絵 1
レオナルド・ダ・ヴィンチ
《サルバトール・ムンディ》
個人蔵
▶30ページにて解説

口絵 2
フィンセント・ファン・ゴッホ
《医師ガシェの肖像》
個人蔵
▶48ページにて解説

口絵3 葛飾北斎**《冨嶽三十六景 神奈川沖浪裏》** ▶80ページにて解説

口絵4 歌川広重**《東海道五拾三次之内 蒲原》** ▶86ページにて解説

口絵5 狩野芳崖《**仁王捉鬼図**》東京国立近代美術館蔵
▶110ページにて解説

口絵6 ハン・ファン・メーヘレン《**エマオの食事**》
ボイマンス・ヴァン・ベーニンゲン美術館蔵

▶188ページにて解説

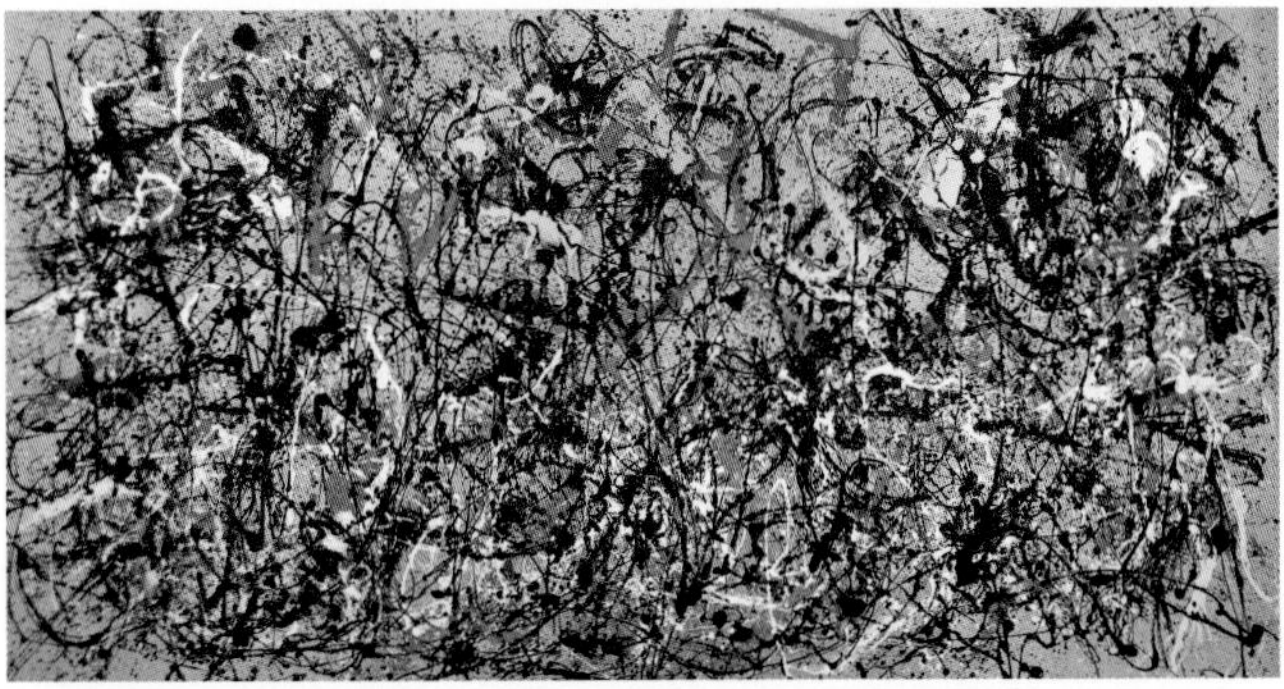

口絵7 ジャクソン・ポロック《**秋のリズム(ナンバー30)**》
メトロポリタン美術館蔵

▶216ページにて解説

できるビジネス

美術の経済

ART ECONOMY

〝名画〟を生み出すお金の話

小川敦生

ATSUO OGAWA

多摩美術大学教授

インプレス

はじめに――美術は経済なしで語れない

２０１５年11月11日、ニューヨークで開かれたサザビーズの美術品オークションで、サイ・トゥオンブリーという米国出身の現代美術家の作品《無題》が約７０５０万ドル、当時の為替レートで日本円に換算して約87億円という高値で落札された。昨今のオークションでは、驚いて耳をふさいだような表情とポーズで有名なエドヴァルド・ムンクの《叫び》が１００億円近い値をつけるなど高額落札のニュースが時折新聞紙面を賑わせているので、「ああ、またか」と感じた方もいるかもしれない。

一方で、「サイ・トゥオンブリー」という作家の名前を聞いてピンとくる日本人は、どのくらいいるのだろう。トゥオンブリーは１９２８年に米国で生まれ、２０１１年にローマで亡くなった現代美術家だ。戦後、米国の陸軍で暗号制作の仕事に従事したという履歴は、謎めいた人間像を想像させる。だが、実際に作品を写真などで見ると、それ以上に驚く人が多いのではないだろうか。落書きのようにしか見えないからだ。もし「落書き度」という、絵の描き方の度合いを示す指標があるなら、そのレベルは半端ではない。落書きに見ようと思えば見える作品を多く残した作家の代表格はピカソだと思うが、トゥオンブリーはさらにその先を走っている。87億円の《無題》は、いってしまえばボールペンの試し書きのようなイメージだ。しかも、画材はクレヨン。

まさに子どもの落書きなんじゃないかと思う人がいてもおかしくはない図柄なのである。

「現代美術は難しくてわからない」という言葉を時折聞く。しかし、トゥオンブリーのこの作品に関しては、「難しくて」という言葉ですら説明できないように思う。「何が何だかわからない」と言うしかないのかもしれない。

それでもめげずに、絵を鑑賞してみる。目をどんなに皿のようにして見ても、ホント、誰にだって描けそう。少なくとも、技術のすごさは微塵も感じない。特段美しさが際立っているようにも見えない。それが87億円。やはり何が何だかわからない。先ほど名前を挙げたピカソを比較の例に出すなら、変な形の人や牛をモチーフにした《ゲルニカ》（１９３７年）をじーっと見て「うん、やっぱりこんなにユニークな絵は自分には描けない。こんな形は思いつかないし、こんな風にデフォルメはできない。何よりも、見るとまずびっくりする」とその独創性に納得するのではないだろうか。

絵には、さまざまな種類の表現がある。よく行われているのは、目の前の風景を写すということである。子どものお絵かきはたとえば親の顔を描くようなことから始まるし、小学校の美術の授業も大方は写生から入るのではなかろうか。紙やカンヴァスにまるで写真のように描けたら、普通はほめられる。逆に、たとえば人間を描く場合、

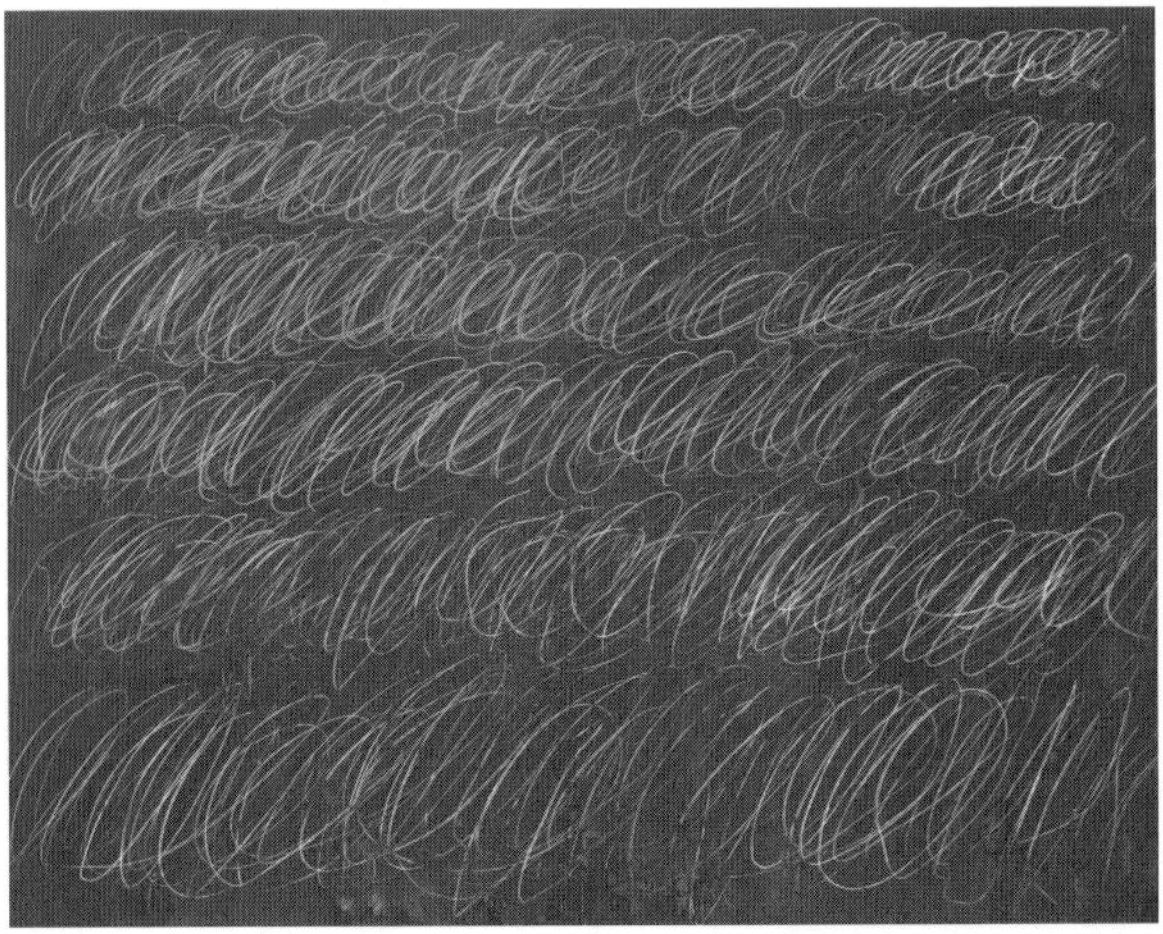
サイ・トゥオンブリー《無題》(1968年、172・7×228・6センチ、油性塗料、クレヨン、カンヴァス)

頭だけが極端に大きくなったり左右の目の高さがずれていたりすると、「変だね」あるいは「デッサンが狂っているね」などと言われたりする。そもそも本物のように描くのは、かなり経験と技術の必要な難しいことだから、本物に似ていれば褒められるのは当たり前のことである。

さて、トゥオンブリーの絵はその対極にあるように思われる。まず、目の前にある風景を映しているわけではないので、巧拙を問うことができない。つまり小学校などで褒められる対象ではほぼないだろう。しかも描かれたクレヨンの軌跡は極めて単純な造形である。誰にだって描こうと思えば描ける。あえて、誰もやろうと思わないだろうことを挙げれば、それを美術作品として展覧会で発表しようということくらいではなかろうか。

本書には『美術の経済』というタイトルがついている。ところが、今挙げたような例を見るにつけ、美術というのはかなり特殊な経済学理論のもとで成り立っているのではないか、という推理が働く。たとえば、誰の家にもあるであろう寝具や日々使っているスマートフォン等とはずいぶん違う。最も大きな違いは、美術品が普通は一点ものであることだ。たとえばレオナルド・ダ・ヴィンチの《最後の晩餐》は、この世の中には1点しかない。近年の高額落札の例として挙げたムンクの《叫び》は、同じ構図の作品が世界に4枚あることが知られている。だが、その1枚1枚の筆致は微妙に異なる。したがって複製ではなく、異なる作品と認識されている。1点しかないものはどうしても値段が高くなる。市場原理が働いて大量生産品が安くなるのとは逆の理屈だ。例外は、葛飾北斎《かつしかほくさい》が波と富士山を描いた《冨嶽三十六景《ふがくさんじゅうろっけい》　神奈川沖浪裏《かながわおきなみうら》》などの江戸時代の浮世絵をはじめとする版画類。同じ版の作品が複数存在する。しかし、現代に残っている点数が少なく保存状態も異なるため、美術品として一点ものに近い扱いを受けている。

ところで、ここまでの記述ではまだ、トゥオンブリーのあの作品が87億円もの高値で落札された理由の説明には至っていない。1つだけわかるのは、あの作品をあの価格で買った人がいたということである。オークションではたいていの場合、誰が売り、誰が買ったかについては明らかにされない。なので、買った人になぜそんなにたくさんのお金を出したかを聞くことはできない。ただ、類推できることはある。トゥオンブリーの作品が、それなりの評価を美術の世界ですでに持っていることだ。

筆者のささやかな理解を簡単に記述しておけば、トゥオンブリーの表現は、絵を描く際の人間の純粋な「初動」を突き詰め、エッセンスを抽出したものである。人間というのは馬齢を重ねるに連れてさまざまな「常識」に捕らわれていく。何となくではあっても「絵は風景や人の顔を描くもの」と思うのもその一つ。ある程度絵の描き方を学ぶと、「色遣いの工夫が人目を引く」あるいは「構図が重要」といったことも「常識」となり、自分の純粋な気持ちだけで表現したのとは異なるものとなっていく。もちろんそれが悪いと言っているわけではない。ただ、純粋性の追究は、哲学にも近いことを絵画でやっており、大きな意義がある。だからこそ、価値がある（と筆者は強く思う）のである。何よりも重要なのは、ほかに同じことをやっている美術家がいないということだろう。ただし、ここに書いたことが真実だったとしても、それだけではトゥオンブリーが経済の世界の中では浮かばれるということにはならない。言ってみれば、作品が特性を理解され、評価され、必要な人々の間に広まり、経済力を持った人々に活動を起こさせるといったことがあってこその、87億円なのである。トゥオンブリーの場合は、たとえば日本での出来事だけを見ても、１９９６年に高松宮殿下記念世界文化賞高松宮殿下記念世界文化賞を受賞し、２０１５年には現代美術界に貢献の著しい東京の原美術館で作品展が開かれている（それでもまだ、日本国民の大多数が知っている画家にはなっていないはずだ）。

さて、美術を巡る経済にはこんな特殊な状況が出現しているわけだが、そこからはどんな世界を覗き見ることができるのだろうか。最初は多くの人の理解を得られなかったものが市場で大化けするのは、そもそも普通の世界でもありふれている話だ。だからこそベンチャー企業があるわけだし、大立者も現れるのである。美術の世界でおもしろいのはまさに、最初理解を得られていないものが後に高く評価されるケースが当たり前ということだろう。かのゴッホの絵が生前は1枚しか売れなかったというのは有名な逸話だし、現代美術の世界で気を吐く村上隆も、困窮生活が続いていたことを著書で語っている。そもそも美術家たちは、雲や霞を食べて生きているわけではない。本来別の職業を持ちながら、美術家として知られるようになった者も多い。画家の中村《なかむら》忠二《ちゅうじ》は電信技術を身につけて郵便局等の通信技師として働きつつ、関西から東京に出て公募展に何度も応募しては落選を続けるという現実の中で画家を目指し、1点刷りの版画モノタイプによる詩情豊かな独自の表現を開拓した。税関吏出身者として知られるフランスの画家、アンリ・ルソーは絵を独学で身につけ、40代で画家を目指す。素朴派ともいわれる純朴で大胆な作風は稚拙と見られたからか既存の画壇には受け入れられず、ピカソらの評価によって浮かび上がった。ルソーに関して筆者の中で特に心に残っているのは、税関吏をやめてからヴァイオリン教師をしていたことだ。食べるためだったというが、弾き手としてはそれほどの技量ではなかっただろうと想像している。ルソーは自身で作曲した「クレマンス」という曲の楽譜を残しており、通常4分の3拍子で書くワルツを8分の6拍子で書くなど音楽の語法がめちゃくちゃなのだが、実際にその曲を演奏すると、「音楽の素朴派」と言ってもいいほどのほっこりとするような音が出てくる。教師にはそれなりの人望が必要だ。やはり純朴さからそれなりにヴァイオリンの弟子を集め、生計の足しにしていたのではないかと想像している。

はたして美術家たちが経済の世界をどのように生き、作品がどのように扱われてきたのか、興味が尽きない。美術家たちが経験したさまざまな事例や美術の世界の分析を通じて経済の裏側を覗く旅に出てみよう。

CONTENTS

第3章 時代とともに変わる美術の価値観

第4章 パトロンとしての美術館 139

第5章 贋作と鑑定 177

第1章

1枚の絵画から見えてくる経済の成り立ち

巨匠画家たちの経済活動を読み解く

美術の価値は、経済では計り知れない。人間は、他人と接すると知らず知らずのうちに言葉や身振りで「表現」をしようと試みるものだ。すでにそこに創造性の萌芽があり、知性が手伝って歌や踊りや演劇が、さらには道具や媒体を使った音楽や絵画などの芸術が生まれることになる。そんな根源的な存在ともいえる「芸術」を経済のみで語ることはできない。

しかし、である。芸術は経済と表裏一体だ。経済活動が始まって以降の人間はまた、ほとんどの活動に経済的な側面を内在させることになった。芸術活動も例外ではない。えてして制作には金がかかる。そもそも芸術家は何らかの方法で「生計」を立てなければ生きていけない。かのレオナルド・ダ・ヴィンチにしてもレンブラントにしても、そのときどきの経済の世界の中で生きていた。さらに「もの」としての美術品には、それが素晴らしいものであれば所有したいと思う人が現れ、当然のように経済的価値が発生する。はたして巨匠画家たちは、生きていくうえで逃れることのできない経済とどのように向き合ってきたのだろうか。

《モナ・リザ》の値段はいくらか？

イタリア・ルネサンス芸術の巨匠、レオナルド・ダ・ヴィンチ（1452～1519年）の《モナ・リザ》の値段がどのくらいかを知りたいと思ったことのある人は多いだろう。しかし、その明確な答えが出る可能性は、ほぼない。所蔵しているパリのルーヴル美術館が作品を手放す可能性がまずないからだ。美術品の値段は、実際に売買があってはじめて成立するものである。だから、値段の決めようがないのだ。

もっとも、ダ・ヴィンチに関しては近年、極めて興味深い売買が行われた。ダ・ヴィンチの作として出品された《サルバトール・ムンディ》(個人蔵、口絵1）という油彩の肖像画が、2017年11月に約510億円の値をつけて米ニューヨークのオークションで落札されたのだ。そもそもダ・ヴィンチの油彩画がオークションに出品される可能性は現代では皆無に近い。この作品は長く弟子が描いたとされていたのが、21世紀に入ってダ・ヴィンチの真作と認められたという経緯を持つ。ダ・ヴィンチの油彩画に関しては、極めて希少で貴重な事例だったのである。

《サルバトール・ムンディ》は高さが65センチ。それほど大きな作品とはいえない。もっとも、同じダ・ヴィンチの《モナ・リザ》もせいぜいこれよりもひとまわり大きい程度である。ルーヴル美術館で《モナ・リザ》を見て、「意外と小さいな」と思った人は多いのではないか。《サルバトール・ムンディ》の落札は、美術作品の市場価値が大きさに比例するようなものではないことの証しともいえる。そしてこの作品が描かれた1500年前後というのは、《モナ・リザ》とまったく同時期。《モナ・リザ》の場合は、そこに抜群の知名度や膨大な研究、顕彰履歴が加わる。よって、その市場価値が《サルバトール・ムンディ》を下回ることは考えにくい。

今でこそそれほどの価値が絵画作品に認められているダ・ヴィンチだが、生前ははたしてどのくらい裕福だったのだろうか。少なくとも、現在の価値に換算して何百億円もの財産を持っていたわけではなかったことは、誰しも想像がつくだろう。ダ・ヴィンチは没後500年が過ぎた。市場価値に歴史を経た評価の積み重ねが大きく影響していることは間違いない。とはいえ、その歴史は才能およびその顕現たる作品の美的評価から生まれたものである。作家の才能と存命中の経済的な境遇がどのくらい比例するのか、なかなか興味深いところである。

ダ・ヴィンチの作品の「価値」

ダ・ヴィンチが生み出した芸術作品の素晴らしさをここで改めて紹介する必要はないようにも思う。世界中ですでに発行されている多くの美術書に、相当数の魅力が書き連ねられているからである。それでも筆者は、自らの鑑賞経験をどうしても一つだけ挙げておきたい。あまりに凄みを感じたため、この例なしにダ・ヴィンチの絵の価値は語れないと考えたからだ。

それは、イタリア・ミラノの修道院で《最後の晩餐》を見たときのことだった。この作品は、絵を鮮やかにするために鉛白《えんぱく》の下塗りを施すなどの特殊な技法を試したことが裏目に出て、ダ・ヴィンチの存命中から劣化が進んでいたという。本格的な修復が行われたのは、20世紀後半。１９７０年代に始まって１９９９年に完了。比較的最近のことだ。その結果、現在は極めて美しい状態のこの作品を見ることができる。

ただし、丁寧な修復をいくら施しても、そのまま普通に展示を続けていたら同じような劣化が進まないとも限らない。そこで教会などでは、作品によっては入場制限をして非常に少人数でしか鑑賞ができないシステムにしている例がある。損傷が起こりにくい空気を維持するためだ。《最後の晩餐》にも、その対策が適用されていて、一度に部屋に入れるのは25人程度。その代わり、一度入れば15分くらいの間ではあるけれども、すいた室内で名作とじっくり向き合うことができる。むしろ、人が多すぎてぎゅうぎゅうに押されたり、立ち止まらずに鑑賞することを強いられたりする場合には作品のよさを存分に楽しめないこともあるので、作品保護の観点からのみならず、美術品の鑑賞システムとしても意外と悪くないのではないかと思う。

ようやくその鑑賞のチャンスを筆者が持てたのは、4年ほど前のことだった。もちろん画集や雑誌の記事、テレビ番組などではしょっちゅう見てきた作品である。しかし、実物を見たときに感じた心持ちは、格別のものだった。それも、「実物ゆえのよさ」という程度の生やさしい言葉で説明できるものではなかった。キリストと12人の使徒たちが食事をする中で「この中に一人裏切り者がいる」とキリストが言ったときの一瞬のざわめきを巧みに描き出したのが、この作品だ。そこまでは、画集を見ただけでもわかる。ところが現場では、画面の中心にいるキリストを、筆者はまさにその場にいるかのように感じたのである。もちろん最初からこれは絵だとわかっていたのに。画集では決して感じることのできない経験だった。キリストが実在するような感覚を持てる絵の存在は、教会にとっても信者にとっても千金に値するのではないだろうか。

美術史上でこの作品は、線遠近法を極めた作品とされている。実際、ダ・ヴィンチは、立体感の表出に力を尽くしており、正確を期すために糸を引っ張ったと思われる釘穴なども発見されている。そして立体感の表出は、十分すぎるほどうまくいった。キリストがその場にいるかのように感じたのもむべなるかなである。ある美術史家からは「やりすぎなくらいです」という言葉も聞いた。それはまた、芸術としての凄さだけでなく、宗教の場で見られるうえでのより大きな効果をもたらすのではないか。何しろキリストすなわち神の子がその場にいるように感じるのである。当時の人々は、別に「芸術」としてその絵を見ていたわけではない。そもそも「芸術」という概念が確立したのは近代以降のことであり、この時代には絵という存在でしかなかった（むろん無意識に「芸術性」を感じた人々はいただろうが）。

むしろ信仰の対象としてこの絵を見た場合に、キリストの存在を実感できたとしたらどうだろう。少なくともキリストの存在をここまでリアルに感じさせる絵はおそらく、この作品以前にはこの世の中に存在しなかったのではないかと思う。ダ・ヴィンチは唯一無二の価値をこの世の中に生み出したといってもいい。それゆえ、この絵の例だけでもダ・ヴィンチの凄さがわかるのではないかと思うのである。ダ・ヴィンチは「造物主」としての側面さえ持ち合わせていたもいえる。

ダ・ヴィンチの報酬はいくらだったのか？

ダ・ヴィンチがイタリアのフィレンツェ近くの農村「ヴィンチ村」に生まれたのは1452年。フィレンツェで画家の修業をした後、1482年にミラノに移るダ・ヴィンチは最初、音楽家としてミラノに派遣されたという。リラ・ダ・ブラッチョという、腕で抱えながら弓で弦をこすって音を出す、現代のヴァイオリンに似た楽器の名手だったようで、馬の頭蓋骨の形をしたという自作楽器を携えてのことだった。

ダ・ヴィンチは、しばしば「万能人」と称される。画家はその仕事のほんの一部であり、たとえば戦車などの兵器や鳥のように空を飛ぶ道具を考案したり、土木関係の設計に携わったりするなど、実にマルチな分野で活躍したからだ。当時のイタリアは、たくさんの小さな国や地域に分かれていた。強大な権力を振るっていたのは、ローマ教皇領。フィレンツェは毛織物産業で栄えた経済的に裕福な共和国であった。支配していたのは、芸術家たちのパトロンとして知られたメディチ家である。ほかにナポリ、ヴェネツィア、そしてミラノなど多くの国が林立し、時には戦争もしていた。ヨーロッパの博物館に行くと痛切に感じるのは、歴史が極めて血塗られていたことだ。甲冑や武器がたくさん展示されているのだ。国を守るための知恵を兵器などの設計という形で提示したダ・ヴィンチは、かなり注目される存在だったに違いない。

さてこうした事実を経済の視点で見たときに、どんなことが読み取れるだろうか。一つは、画家という職業が、身を立てるのにどれぐらい頼りになるものだったのかという疑問である。当時は西洋でも「芸術」という概念が確立していたわけではなく、画家は芸術家というよりも職人だった。クリエイティビティーよりも技術に評価の重点が置かれていたと考えるといい。そこでは、今の芸術家のように唯一無二のものを作るという表現の希少性は評価の対象にはなりにくい。もちろん技術にも優劣は大いにあるけれど、代わりとなる「技術者」はほかにも存在しやすい。

では、画家の収入は実際にはどのくらいだったのだろうか。たとえば、ダ・ヴィンチは1481年、すなわちミラノに移る直前にある修道院から《東方三博士の礼拝》という祭壇画の注文を受け、300フローリンの報酬を与えられることが決まっていた。当時の公務員の年収はおおそ100フローリンだったという。公務員の年収3

年分なら結構な金額である。ところが、その契約には「30か月以内の完成」「前払いなし」「土地の所有権での支払い」などの条件がついていたという。今でこそ土地の所有権にはそれなりの魅力を感じる。しかし現金がすぐに手に入らないというのは、若い画家にとってはなかなか厳しい条件だった。絵の具の原料を買うために、修道院から前借りをしたという話もある。少なくとも裕福な生活を送っていたわけではないことがわかる。しかも、この作品は結局未完に終わっている。つまり「支払い」はなかったことになる。

音楽家として生計を立てたダ・ヴィンチ

それにしても、音楽の演奏までいわゆるプロだったというのは、なかなか意外感があるのではなかろうか。ミラノでリラの演奏家としての腕を披露したときの状況は、イタリア・ルネサンスの時代にジョルジョ・ヴァザーリという芸術家が著した「芸術家列伝」という書物に書かれている。

一方、そのころのダ・ヴィンチの画家としての能力は、すでに十分に認知されていた可能性もある。フィレンツェで学んだ工房の師匠アンドレア・デル・ヴェロッキオは、ダ・ヴィンチが描いた絵を見てそのあまりの巧さにそれ以降は筆を折って画家の仕事を辞めてしまったということしやかな逸話があるくらいである。そもそもこれは、ダ・ヴィンチを神格化する類の逸話とも考えられ、実際にヴェロッキオが仕事を辞めたわけではなかったようだ。ダ・ヴィンチが絵の具や絵筆の使い方、筆の運び方、さらには遠近法や陰影法を学んだのは、ヴェロッキオの下での話である。現在でも弟子の才能に驚く師は大勢いるのではなかろうか。しかし、教育の現場にいる筆者の実感では、むしろ師としてはそうした才能に出合うことに喜びを感じたのではないかとも思うのである。

ダ・ヴィンチがヴェロッキオの工房で素晴らしい仕事をして、フィレンツェで画家として活躍し始めたことは美術史研究のうえでも確認されている。たとえば１４７２年にダ・ヴィンチは、フィレンツェに新しくできた画家の組合「サン・ルカ同信会」に、師匠のヴェロッキオと一緒に入会した。１４７６年には自分の工房を開いている。ならば、ミラノに出かけたときにはむしろ画家として売り込んだほうがよかったのではないか。それなのに、なぜダ・ヴィンチは自分を音楽家として売り込んだのだろうか。

人間がとにかく食べるために何かの生業を持つ必要があるのは、貨幣というものが世の中に生まれて以来変わらぬ現実である。ダ・ヴィンチは庶子だったというから、親の仕事を継ぐことなく生業を見つける必要があり、生きていくのはそれなりに大変だったことだろう。「万能人」と呼ばれるほど多くの能力を持っていたので博覧強記のイメージがあるけれども、たとえば文学などについてはあまり触れるような環境にはなかったという。おそらくそんな中で見つけたのが画家への道だった。もっとも、画家という職業は、現在認識されているような形で存在したわけではなかった。先ほど挙げた『芸術家列伝』という本があるゆえ、すでにこの時代に芸術が存在したかのように思われる方もいるかもしれない。しかし、芸術という概念はむしろこの本をきっかけに発生したようなものだったと考えてもいい。

現代でも、画家を生業にするのは大変だ。ダ・ヴィンチが生きた当時も、現代にもまして稼ぎのいい仕事だったとはいえなかったようだ。画家はそもそも、単に壁などに絵を描く職人だった。もちろん教会などの壁に宗教画を描くことが多かったから、それなりに大事な役割を担うと考えられてはいただろう。何せ宗教画においては、神の世界を「つくる」ことができる仕事である。しかし現代のように、神が乗り移ったかのような芸術家としての認識がない以上、たとえば「こいつがダメならあいつに頼もう」といったことが比較的安易に行われていたのではないかとも推察できる。多才だったダ・ヴィンチは、音楽家、建築家、土木技術研究者、さらには兵器の発明家などさまざまな職種の中からパトロンにアピールしやすいもので自分の仕事をする。そして当時のイタリアは、宮廷や教会をはじめとするさまざまな場所ですでに麗しい音楽が奏でられる豊穣の時代であり、後に登場するヴァイオリンなどにつながる弦楽器もずいぶん発達していた。楽器を作るスキルと演奏する力を持っていたダ・ヴィンチが自らの才能を発揮する場として、音楽の世界は極めてふさわしい場所でもあったのである。美術史家の池上英洋さんは著書『ダ・ヴィンチの遺言』で一国の支配者が他国へ音楽家として派遣したことから、「演奏家として有名だったことは事実なのだろう」と推測している。

絵だけでは生きていけなかった？

画家の場合、作品を描くという一つ一つの行為や、作った一つ一つの作品に報酬や対価が与えられるというのが、収入を得る場合の一般的なあり方のように思う。それは通常作品が「物」として厳然と存在する一方で、世の中では「物」には値段がつくのが自然なことと考えられるからである。現代のたとえば筆者がやっているような物書きの仕事に置き換えてそれを考えてみよう。物書きの仕事の成果としての「物」とは、新聞や雑誌に書いた記事、単行本として出版された小説などを挙げることができる。小説家やエッセイストが書いた文章を雑誌や新聞に掲載した場合、その記事を載せた雑誌を発行している出版社や新聞社から原稿料が支払われるのが通例である。あるいは、小説家が作品を出版した場合、売り上げの一定の割合を割り振られる印税が収入となるのが一般的である。これらは成果に対する報酬あるいは、いわゆる成功報酬として位置づけることが可能だ。

ところが、同じく文章を書くことを生業にしている中でも、たとえば新聞社が雇用した記者の場合は報酬の受け取り方が異なってくる。彼らに対しては一般的に、書いた文章の内容や量には関係なく毎月あるいは毎年決められた額が支払われる。スクープ記事などの著しい成果があった場合には、賞与や報奨金が上乗せされることなどはあるかもしれない。あるいは成果主義として、記事を書かなかった月には給料が減らされるかもしれない。しかし基本給は定期的に支払われる。つまりサラリーマンなのである。ところが、画家などの芸術家の場合は、まったくというわけではないけれども、あまりそうした事例を聞かない。

さて、ダ・ヴィンチの場合はどうだったのだろうか。名作として知られる《岩窟の聖母》の場合には、その絵に対して報酬が支払われたことがわかっている。ダ・ヴィンチら3名の制作者が300フローリンの代金を主張したのに対して、注文主は75フローリンしか支払わないと言い、ようやく20年後に後者の金額で決着を見たというのだ。さらにダ・ヴィンチの場合はその作品数から考えて、絵だけで生きていたとは考えにくい。そもそも、ヴェロッキオの弟子だった時代は年収が25フローリン程度。前述した公務員の年収の4分の1程度という薄給だったという。しかしそれは、サラリーマンのように働いていた時期があったことをも示唆する。もちろん、今のように労働基準法等で守られていたわけではなかろう。しかし、毎月生活の基本給が出ていたとしたら、どれほど安心できたことか。修行中であることを差し引いても、仕事の成果報酬よりも安定給与の額のほうが低いのも、現代と同じようなものである。実際、ダ・ヴィンチは一人前の画家として聖ルカ信用組合に登録されてからもすぐに独立はしなかったそうだ。独立する際にアトリエを借りたり絵の具を買ったりするお金が必要なのは、現代の事情とさして変わりがない。それなりの注文が入るまで待たざるをえなかったのである。

時代に翻弄された芸術家

ところで、君主など為政者が芸術家を雇うというのは、現代ではなかなか考えにくいことだ。ダ・ヴィンチが生きたのは、イタリアで芸術の振興が空前の盛り上がりを見せたルネサンスの時代だった。絵や彫刻で宮殿や街を飾ることが、権力の投影でもあった。芸術という概念は存在していなくても、少なくとも絵や彫刻を制作する職人は、たとえば料理人などと同じような意味で必要だった。

ひょっとするとダ・ヴィンチも一生サラリーマンでいたかったのかもしれないとも思う。彼がミラノを去ったのは、仕えていたパトロン君主ルドヴィーコ・スフォルツァがフランス軍に負け、逃亡したことに端を発する。ヴァチカンのシスティーナ礼拝堂の大作壁画《最後の審判》はミケランジェロが描いたことで知られているが、もともとはダ・ヴィンチが描くことになっていたという。その計画は、君主が亡くなったことで立ち消えになる。君主と生計の命運を共にするというのは、芸術家が生きることの難しさを意味する。しかし逆に考えると、その才能を君主のようなパトロンが個人として認めてくれさえすれば、生きていけるということでもある。先鋭的な芸術が現代でも多くの人々の理解を得るのが難しいことを考えると、パトロンが芸術を求めたこの時期は、意外と芸術家が生きやすい時代だったのかもしれない。

もう一つ、重要なのは、ルネサンスの時代の芸術を支えたパトロンが王侯貴族以外にもいたことだ。ルネサンス芸術の中心地フィレンツェは毛織物業で栄え、財を成したメディチ家が支配者となった。経済力があったからこそたくさんの彫刻が街に立ち、肖像画などの需要も生まれた。西洋美術の古典といえば宗教絵画が中心にあることは間違いないが、富は多様性を生んでもいたのだ。

《サルバトール・ムンディ》

この作品の2017年のオークションへの出品に際して、クリスティーズは詳細なレビューを発表した。オークション会社が目玉作品の解説にカタログのページを割くのは珍しいことではないが、この作品に関しては170ページほどの厚みを持つ冊子になっている。力の入れようがよくわかる。

　画題は「ヨハネの福音書」に由来するという。人物のバストアップを構図にしている点だけでなく、絵の具を薄く何層にも塗り重ねて表現し[※1]ているのは、同時期に描かれた《モナ・リザ》に通じる。衣装の青は、貴重な輸入顔料だったラピスラズリ。[※2]ダ・ヴィンチがしばしば描いてきた巻毛の表現の緻密さ、キリストが右手に持つ大きな水晶玉の透明性、衣装のひだの自然な印象、そして顔などを表現する際の極めて自然な陰影。いまだ真贋が取り沙汰されているようだが、秀逸な作品だ。

※1
絵の具を何層にも薄く重ねて描く技法を「スフマート」という。

※2
鉱石の一種で宝石としても扱われた。ラピスラズリから作られる絵の具を「ウルトラマリン」という。

第1章

1枚の絵画から見えてくる経済の成り立ち

1500年頃、65・7×45・7センチ、油彩、板、個人蔵

Photo © Christie's Images / Bridgeman Images / DNPartcom

職人画家の中から現れた芸術家たち

これまで、レオナルド・ダ・ヴィンチをあえて孤高の天才として見てきた。少なくとも同じ創造性に基づいた仕事をほかにできる人がいなかったのは明らかである。だからこそ以前は職人だった画家の中から芸術家という存在が世の中で頭角を現してきたのである。

一方で一般にはあまり強調して言われることはないが、ダ・ヴィンチは工房を持っていた。数人の同僚や弟子がいて、作品によっては共同で制作をしていたのである。近代の考え方から、芸術家は一人で事を成す存在として認識されることがある。だが、それは必ずしもすべてのケースに当てはまったわけではなかった。むしろ、ダ・ヴィンチらの時代には工房を持つのは珍しいことではなかった。ヴェロッキオの工房にはダ・ヴィンチのほかに《ヴィーナスの誕生》などの名画で知られるボッティチェリもいた。そのヴェロッキオの後援者こそが、かのメディチ家だった。工房の存在は、作品の制作に際して、発注者からの注文を工房で受けて組織で処理することを意味する。また、だからこそたくさんのあるいは大きな仕事を受けることができたのだろう。現代に置き換えると、大きな仕事を会社で受注し、複数の担当者で処理することと似ている。あるいは、建築家が引いた設計図に基づいて建設会社や工務店が施工するような現代の建築システムにも通じる。

そうした工房のあり方を現代に復活させたのが、村上隆だ。2012年にカタールの王室の依頼で制作した全幅100メートルの大作絵画《五百羅漢図》は、村上が描いたのは基本的に原画のみ。200人ほどの美大生らのアシスタントが実際の描画を担当したという。

富裕層のニーズを捉えたレンブラント

工房の意義について、もう少し広がりをもって考えてみよう。

舞台を17世紀のオランダに移す。東インド会社を作るなどして、海の覇権を握っていた当時のオランダは、東洋からさまざまな物品を輸入してヨーロッパ中で売ることで、潤沢な経済状況を展開させていた。そこで起きたのが、商売によって大きな利益を得た富裕層の出現である。そんな中で画家として頭角を現したのがレンブラント・ファン・レインだった。

それまでのヨーロッパ絵画の主流は、特にカトリック教会からの需要が多かった宗教画だ。描く対象とされたのは、キリストや聖母マリアなどの聖書に登場する人物あるいは場面である。「聖母子」「最後の晩餐」「受胎告知」など、ヨーロッパの美術館を訪れて見られる古典絵画に同じテーマの作品が多いゆえんである。

それはまた、画家たちが実際に見たことのない、一種の空想の世界を描くことにほかならなかった。17世紀のレンブラントもその例にもれず、多くの宗教画を残している。しかし彼には、もう一つの大きなニーズがあった。肖像画である。オランダで勃興した富裕層は、邸宅を飾るために自分たちの肖像画を画家たちに描いてもらうようになる。ここで、筆者の経験の中でもどうしても忘れられない1枚の作品について、少しだけ書いておこうと思う。《ヤン・シックスの肖像》という大作との巡り合いの話である。

2007年のことだった。展示されていたのは、オランダの首都デン・ハーグにあるマウリッツハイス王立美術館だった。オランダだからレンブラントの絵が見られるのは当たり前と思われる方もいるかもしれない。しかし、この絵に関しては違っていた。公開は約半世紀ぶりだった。制作されて以来ずっとシックス家すなわち注文主の家で所有されてきた作品だった。そして所有者の意向で、ほぼ公開されることがない状態が続いていた。数十年に一度しか見ることができない作品だったのである。

マウリッツハイス王立美術館で実際に作品の前に立つと、この絵がレンブラントの肖像画の最高傑作の一つであることは間違いないと感じた。威厳はあれども自然な佇まい。威張りすぎてないところがポイントかもしれない。粗すぎも細かすぎもしない筆致は、目にすんなりとその存在を入り込ませる。そして、説得力のある大きさ。サイズは絵画の重要な要素である。何かしら、ちょうどいい大きさというのがあるのだ。レンブラントの肖像画の時代になって、絵画のサイズは小さめになったとも言われる。教会などの大空間を飾るのとは違い、人が普通に生活する家にかけられるからである。しかし、この絵は一般的な住宅にかけられるものとしてはかなり大きなほうだろう。ひょっとするとレンブラントは、あらかじめ邸宅の下見をしたうえで絵画の制作に取り組んだのかもしれない。そして、おそらく邸宅の壁にかかっているこの絵の前に立つだけで、その家のグレードを肌で感じることができる。作品が展示されたマウリッツハイス王立美術館も邸宅を転用した施設だった。今になって思えば、この絵を最高に近い環境で見ることができたといえる。

工房作品の市場価値はいくらか？

さて、レンブラントにはおそらくかなり多くの肖像画の注文が集まったことが推察できる。限度を超えれば、どんなに才能が豊かでも一人の画家の手には負えなくなる。レンブラントは当時のオランダに市民を中心とした新たな美術市場の確立を見て工房を経営し、多くの絵画の注文に対応していた。そのことから派生した衝撃的な出来事が比較的最近あった。１９８０年代にオランダの美術史研究者５人が発表した「レンブラント研究プロジェクト」という計3巻の報告書がもたらした出来事だ。日本のレンブラント研究の第一人者、尾崎彰宏さんの著書『レンブラント工房』によると、報告書では過去にレンブラントの真作とされていたうちの２８０点の絵画を研究対象とし、改めて真作と判断されたのは１４６点だけだったというのだ。比率にして約半分。残りの多くについては、レンブラントの弟子による可能性が指摘され、そうした状況を呼ぶ原因を解く鍵とされたのが、レンブラントが経営していた工房の存在だった。

多くの弟子が工房で師匠の指示に従ってレンブラント風の作品を描いたという推論がなされている。

レンブラント自身の手による真作と判断されなかった作品の所蔵者の胸の内に押し寄せた不安や不満が推し量られる出来事である。それまで真作とされていたものがそうではなくなった場合には、市場価値が著しく低下する可能性は高い。親から譲り受けたようなものならまだしも、「この作家の作品だから」と高い値段で買ったものだとすると、投資目的ではなくてもショックを受ける人が多いだろう。

本来美術品は作品の図柄などを気に入って買うのが自然だと思う。作家名が仮に違っていたとしても、作品が放つ美には何ら変わりはないはずだ。しかし、人間の心情や感覚はそれほど単純なものではない。作家名を聞いて「なるほど」と思い、「誰々が所蔵していた」と聞いて「それは素晴らしい作品に違いない」と評価する。「美術評論家の誰々がこうほめていた」というのも、鑑賞者の心のありようを左右する。さらにそこに市場評価という別の指標が加わると、損得の意識が働く。

近代以降の美術の捉え方はオリジナル至上主義ともいえる。そこに照らせば、弟子たちの手になる工房作は、贋作ではないけれども複製または亜流に近いものになる。それゆえどうしても作家自身のオリジナルに比べて評価が低くなるわけだ。ちなみに件のプロジェクトで工房作とされたベルリン国立絵画館所蔵の《黄金の兜の男》を、本書執筆時に同館のウェブサイトで確認したところ、作家名はレンブラントのままで、説明文に「レンブラント自身ではなく、レンブラントに近い誰かが描いたことがレンブラント研究プロジェクトで報告された」旨が書かれていた。筆者が見る限りにおいても、この作品の素晴らしさは以前と変わらない。一方、市場に売りに出る可能性はまずない。美術史上ではレンブラントと同時代の重要な名作として存在感を持ち続けるのではないだろうか。

工房で描くということ

そもそも工房に弟子入りする徒弟制度は、職人性の高い職業には親和性が高いシステムだ。師から直接学ぶこともあれば師の技を見て盗むこともあるだろう。同じ工房にいて常にその技術を実践しながら修得する。しかも単なる学校とは違って工房が作るものはいわゆる商品としてどこかに納入するので一定の水準をクリアする必要があり、妥協が許されない。絵画を描く技術にはもちろん天性が生きることも多いが、それは先達が開発した技術の上に成り立つものだ。

レンブラントの工房にいた弟子の数ははっきりとはわからないが、当時のオランダ絵画界の状況から推察すると、同時期に20〜30人程度はいたらしい。しかも、弟子からは授業料を取っていたという。ある弟子が支払ったのは年間100フルデン。当時の授業料としては、かなり高かったほうだと推察されている。そして、徒弟期間には300〜350フルデン程度はかかったらしい。600〜700フルデンで家1軒が立つというから、かなりの金額だ。授業料の高い現代の私立美大をはるかに凌駕する。ヌードデッサンなどもしていたというから、レンブラントの工房は美大の役割を果たしていたと考えてもよさそうだ。

ここで、村上隆が《五百羅漢図》で試みた工房制作について考えてみる。村上は制作の現場においていはまさに監修者。200人を数えたというアシスタントは村上が描いた下絵に従って、いわば絵をなぞるような作業をすることになったわけだ。模写が画家たちの修行の基本だったのは洋の東西を問わず広く長く行われてきた。模写の対象の条件は、表現が優れていること。《五百羅漢図》は村上が作品として制作しているものゆえ、品質に妥協が許されない。おそらくは厳しい指導のもと、アシスタントたちは村上の作風を〝マスター〟する。有能なアシスタントはいずれ独立して、自らの作風を確立する。それは歴史が繰り返してきたことでもある。

《ヤン・シックスの肖像》

レンブラントは肖像画の名手だが、《ヤン・シックスの肖像》は中でもピカイチと言わざるをえない名作だ。写真撮影の世界には「レンブラント・ライト」※という照明の手法がある。ライトを正面からではなく斜めから当てて立体感を際立たせる方法だ。《ヤン・シックスの肖像》では、光源を左上に持ってくることにより、比較的陰の部分を少なくしながらも、絶妙な立体感と上品な威厳を創出している。

ちなみに、当時のアムステルダムで市長などを務めたヤン・シックスの末裔で、この先祖と同名のヤン・シックス氏は現在同地で美術商をしており、時折、レンブラントの作品を落札するなどのニュースで話題を醸している。2018年5月には、その2年前にロンドンで開かれたクリスティーズのオークションで落札した肖像画がレンブラントの作品であることが判明したことがニュースになった。

※ レンブラントは明暗による印象的な表現を得意とした。「光の魔術師」の異名を持つ。

1654年、油彩、カンヴァス、112×102センチ、シックス・コレクション

ただの絵が「名作」に生まれ変わる

今では誰もが知っている画家だからといって、必ずしも生前から有名だったわけではない。たとえばゴッホもその一人だ。ゴッホに関しては、絵の売買をめぐる極めて有名な逸話がある。「画家の生前、絵が1点しか売れなかった」というものである。この逸話は、ゴッホの価値を間違いなく高めているのと同時に、美術の本質を語るものとして広く認識されてきたように思う。いまやゴッホは日本でもほとんど知らない人がいない画家である。実際に100億円以上を出して1枚のゴッホを買った日本人も、かつていた。1990年に海外のオークションでゴッホの《医師ガシェの肖像》(個人蔵、口絵2)を落札した大昭和製紙会長(当時)の故・斉藤了英氏である。ゴッホが生きた時代のほぼ100年後の話である。そんな驚くべき状況が歴史に出現するなかで、生前にたった1枚しか売れないという話が、逆に美術の本質的な姿を表す。先端を行く美術作品は旧来の常識や様式から脱した新しい価値観を表現するものゆえ、往々にして理解に時間がかかる。それゆえ生前は芸術的価値がほとんど認められず経済価値もなかったものが100年後に莫大な金額の「名作」に変容するというのは、美術の本来のあり方ともいえるのである。

依頼なき絵を売るということ

しかし、ゴッホについては近年非常に興味深い考察をする例が出てきた。ゴッホは、しばしば弟のテオとともに語られる。テオはゴッホの最高の理解者だった。そして常に側にいながら、画商の役割を引き受けていた。ここでいったん、画商とはどんな存在なのかということを少し考えてみたい。

近代以降の美術の世界では、美術家にとって画商はなくてはならぬ存在だ。美術作品は作家が制作し、誰かが買うことで経済関係が成り立っている。もちろん作家が直接人々に作品を売ってもいいし、実際にそうした例も多くある。だが、絵を描くのが得意な人が必ず売ることも得意かといえばそうではないことは、容易に推し量れるだろう。筆者の身近な例で言えば、学生時代の友人に極めて無口な男がいた。とにかくしゃべることが下手くそというか、人としゃべろうという意思があまり感じられなかった。そして心配したのは、彼の就職口である。ところがそれは、まったくの杞憂だった。気がついたら彼は、あるデザイン事務所に就職していた。そう、彼はグラフィックデザインに関して素晴らしい才能を持つ人物だったのである。おそらく就職の面接などはあったに違いないが、そのデザインの仕事を見れば、才能は即座にわかる。面接担当者も、才能を見抜く力に長けていたに違いない。

話をゴッホに戻す。弟のテオは、おそらく面接担当者よろしく、兄ゴッホの才能をいち早く見抜いていた。もともと行動を共にすることが多かったので、あるとき絵を描くことに目覚めてたくさんの作品を生み出した現場を目撃し、驚いたことは想像に難くない。ただし、その絵が売り物になるかどうかという判断は、極めて難しい。ゴッホが描いたのはそれまでの時代になかった画風だったし、何しろ血のつながりが極めて濃い人間の作品である。正常な判断をするためには、かなりの経験と冷静な心、そして情熱を持つ必要があったことだろう。描いたのが他人であれば、売れなかったときに諦めることもできなくはない。しかし、兄弟の運命を左右する仕事である。テオは、極めて高い審美眼と的確な判断力と高い情熱の持ち主だったのだ。

無名作家の絵を売るには

もっともここまでは、比較的昔から言われてきたことである。近年になって現れた新しい説というのは、生前は1枚しか絵が売れなかったというのは正確に言うと間違いであり、正しくは、画商の役割を担っていたテオが、あえて絵を売らなかったのではないか、というのである。この説を唱えているのは、美術史家の新関公子さんだ。新関さんは、兄弟の間で交わされたたくさんの手紙を分析して、テオがかなり意図的に販売を抑制していたと類推している。そしてこれは、テオが先ほど述べた「美術の本質」をよく理解していたことを物語る。ゴッホの作風があまりにも先進的だったために、売り急いでも無駄なことがわかっていたのだ。ゴッホは、聖職者や画商などを経験した後に画家を目指したうえ早世したため、画家としての活動期間は約10年間と極めて短い。だが、油彩画だけでも400点以上を描いており、非常に密度の濃い画家生活を送った。よく知られているように、ピストルで自殺を図るような人間だったので、兄弟といえども付き合うのは大変だったに違いない。しかし、次から次へと生まれてくる目の覚めるような作品群に、感性が優れていたテオは、まさに次から次へとパンチを食らうような経験をしたのではなかろうか。ある画家の絵を売るためには、

1枚だけ優れた作品を表に出しても、よほど有名な画家でない限りは難しい。しかし数が揃ってくると、話が変わる。たとえばギャラリーのような空間でまとめて作品を見せることで、実力が浮き立ってくるのである。以前筆者が取材したある画商が、こんなことを言っていた。

「無名作家の作品を売りたいときは、まず黙ってたくさん集めるのです。そして、額装や表装をきちんとする。それだけでも、立派な絵になる。さらに、たくさんの作品をまとめて展示をすると、価値が見えてくるのです」

もちろん、いい作家であることが条件である。しかしそれが、ゴッホのような逸材だったら、どんなことになるか。テオは、売り時を狙っていたはずである。テオの思い通りにいかなかったのは、ゴッホが命を失った翌年に、まるで追いかけるかのようにテオも亡くなったことである。しかし、そこには画商の役割と美術の本質が表れていたのである。

画商の役割

せっかくなので、ここで画商の役割について、もう少しだけ触れておこう。画商は絵を売る商売なので、そう呼ばれる。また、絵をお金に変える仕事でもある。そのためか、日本では芸術のあり方を汚すような捉えられ方をすることもある。しかし、その考え方はあまりよろしくないと筆者は思う。むしろ画商は、美術家たちを直接支える存在である。画商は作家から作品を買い取ったり、売る場を提供したり、収集家を呼んできたり、評論家に批評を書いてもらう仲立ちをしたり、極めて多様で、美術家にとってなかなかありがたい役割を果たす。現代でも、美術館の学芸員が画商のもとを訪ねることは多い。いい作品を発掘するためである。画商は往々にしていい作品を売らずに所有しており、良好な関係を保っておくことは、美術館における充実した展覧会の開催にもつながる。特に現役の美術家の新作の展覧会では、この世に生を受けてまだ誰も目にしていない作品が、画商が経営するギャラリーの店頭に展示される。必ずや、どこかのギャラリーに現代のゴッホがいる。学芸員たちにとっても、ギャラリーはとても刺激的でワクワクする空間なのである。

《医師ガシェの肖像》

斉藤了英氏が落札した《医師ガシェの肖像》は、紛れもなくゴッホの代表作の一つだ。モデルとなったポール・ガシェは精神科医であり、ゴッホは患者でもあった。描いたのは没する1ヶ月前。同じ構図の油彩画が2点あり、1点はパリのオルセー美術館が所蔵している。残りの1点が1990年にオークションに出たこと自体が、大事件だった。機を同じくして斉藤氏が落札したルノワールの《ムーラン・ド・ラ・ギャレット》※も、同じ構図の1枚がオルセー美術館にある。印象派の中でも稀代の名画2枚を同時期に所有したというのは、当時のジャパンマネーの勢いを示す出来事としても凄まじいインパクトを世界に与えたことだろう。そしてその2枚は日本国内では一度も公開されることなく、その後人手に渡ってしまったらしい。ちなみに、こうした大きな買い物ではコレクター本人ではなく美術商がオークションに代理で入札することもしばし

※ 近年は《ムーラン・ド・ラ・ギャレットの舞踏会》とも呼ばれる。ムーラン・ド・ラ・ギャレットとは、パリのモンマルトルにあるダンスホールのこと。

ばある。斉藤氏のケースもそうだったと聞いている。間に美術商が入ることで手数料が増えて高くなることもあるだろう。しかし、美術品の取引には信用がものをいうことも確かだ。信頼できる美術商とコレクターが寄り添う構図も不自然ではない。

1890年、油彩、カンヴァス、67×56センチ、個人蔵

Photo: Bridgeman Images / DNPartcom

襖絵から見た経済

ここまでは、西洋の画家について見てきた。日本の画家についてはどうなのだろう。たとえば江戸時代、御用絵師として活躍した狩野探幽《かのうたんゆう》。京都二条城や尾張名古屋城の障壁画などの秀作を残しており、御用絵師としての狩野派の中では最も美術史上の評価が高い画家の一人だ。

狩野派の事例が象徴しているのは、江戸時代の日本が美術に対して素晴らしいスタンスを持っていた国だったということだ。行政だとか民間だとかにかかわらず、極めて前向きだったのだ。

〝政府〟に雇用された絵師

狩野派の家に生まれた狩野探幽は、12歳のころ徳川家康に謁見した履歴を持ち、17歳のころ御用絵師になった。注目すべきは、「御用絵師」という制度である。この制度があるということ自体が、筆者はなかなかすごいことだと思うのである。なにしろ徳川幕府すなわち〝政府〟が、画家をまるで公務員のように雇用しているのである。狩野探幽は二百石ほどの武士と同じような禄高を与えられていたという。はたして現代の世の中で、日本の政府が給料を出して芸術家の終身雇用をするということが考えられるだろうか。極めて酔狂な話である。日本では政府や役所はおろか、企業でも芸術家を〝芸術家として〟雇用するという話はほとんど聞いたことがない（筆者の持つささやかな情報の中では、日新製鋼＝現・日本製鐵＝が雇用した東京藝術大学油画専攻出身のアーティストの坂上直哉が約40年の間、ステンレスを素材にしたアート作品を作る仕事をしていた例を知っているくらいである）。もちろん国や自治体が作品を購入する話は、国公立の美術館が日本中にたくさんあるので、そこかしこにある。あるいは、公共の音楽ホールなどが美術家に壁画や天井画の制作を依頼することもある。しかしそれらは概ね、制作の実績に対する報酬である。芸術家をサラリーマンのように雇っているわけではない。

あるいは、サラリーマンと言ってしまうと、芸術の対極にあるように感じられて、ちょっとつまらないと思われるかもしれない。しかしむしろ逆である。画家や彫刻家を政府や企業が雇うというのは、とても洒落た話だと思う。為政者がそれだけ深く芸術に対する理解を見せているからだ。徳川幕府は狩野派のパトロンだったと考えてもいい。ただし、一つ忘れてはいけないことがある。江戸時代の日本には、まだ「芸術」という概念は存在していなかった。それは、明治になって西洋から輸入されたものだ。だが、「芸術」という言葉が存在しなかっただけ、という見方もできる。実際に江戸時代には、御用絵師の狩野派のみならず、後に琳派《りんぱ》と呼ばれるようになった俵屋《たわらや》宗達《そうたつ》や尾形光琳《おがたこうりん》、円山四条派の元祖となった円山応挙《まるやまおうきょ》やその弟子の長沢芦雪《ながさわろせつ》、近年人気が著しい伊藤若冲《いとうじゃくちゅう》、川端康成が名作を所持したことで知られる浦上玉堂《うらかみぎょくどう》などの文人画家、武士でありながら素晴らしい絵画を描いて歴史に名を残した渡辺崋山《わたなべかざん》、そして明治以降の作品の流出から世界に名を知られるようになった葛飾北斎《かつしかほくさい》や歌川広重《うたがわひろしげ》などの浮世絵師。まさに百花繚乱ともいえる様相が美術の世界で展開したのである。そこには当然、すぐれた絵を見極める多くの目が存在したわけだ。言葉はなくても、人々の意識の中にすでに芸術というものは存在していたのではなかろうか。

職業画家が生まれた背景

徳川幕府が芸術家を雇用したのは、ニーズがあったからでもある。それは日本家屋の構造上の問題とも直結している。今でこそ、襖のある家は少なくなった。だが、今の高齢者が若かった昭和時代には、まだ襖がある家は多かった。そして襖は、絵で飾るのにふさわしい媒体だった。昭和時代に肉筆で絵が描かれた襖はあまりなかったかもしれない。だが、何かしらの図柄が印刷されたものが多かったのではなかろうか。

襖の文化史を振り返るにあたって、ここでは《源氏物語絵巻　東屋》（徳川美術館蔵）を見てみよう。中国など大陸の国々の影響が大きかったそれ以前の時代と比べて国内で文化が変容・熟成した平安時代に育まれた、いわゆる「国風文化」の精華たる美術作品の逸品だ。この絵が描かれた平安時代後期、文学や書の世界ではひらがなが広く使われるようになり、剛健な印象の強い漢字が主となって形成されていたのとはずいぶん異なる、柔らかさを特徴とする文化が発達した。当世随一の文学を題材とした《源氏物語絵巻》は、絵画の世界でその特徴を具現化した作品と考えてよい。繊細な線と柔和だが華やかな色遣いが、このうえなく雅やかな世界を画面上に創出したのである。貴族の邸宅を斜め上の視点から天井を取り払ってまるで「舞台」のように捉えて描く「吹抜屋台《ふきぬきやたい》」という俯瞰の技法も独特でおもしろい。

さて、《源氏物語絵巻　東屋》に描かれた襖には、絵が描かれている。柱構造の寝殿造りの家屋の中で、室内空間を仕切るための襖はすでに〝カンヴァス〟のような役割を果たしていたのである。最初にその平面を絵で埋めようと思った人には敬意を表したいとよく思う。空間の彩りがまったく変わってくるからである。平安の昔から、少なくとも貴族の家は、絵で埋まっていたのだ。西洋にもポンペイの壁画のようなものはあったから、生活の場を絵で埋めようと考えるのは、人間にとってはごく自然な行為だったのかもしれない。日本にも古くからそうした美の感覚に満ちあふれた暮らしがあった。そしてその暮らしぶりは少なくとも、江戸時代までは続いた。屏風絵などと合わせて「障壁画」という分野が確立し、画家が職業として成立する世の中になったのである。狩野派はまさにその流れの中で生まれてきた必然的な存在といっていいだろう。

絵画は建物の一部だった

最近でこそ、江戸時代あるいはそれ以前に描かれた絵は、文化財として美術館や博物館に収蔵、展覧会で展示されるのが普通になってきた。たとえば江戸時代の屏風絵として著名な俵屋宗達の《風神雷神図屏風》は、現在は京都国立博物館に寄託収蔵されている。しかし、所蔵者である京都の建仁寺は、少なくとも第二次世界大戦直後までは、博物館には寄託していなかった。自分の寺の極めて大切な宝物であり、やはり寺の建物の中にあることが重要だと考えていたからだ。結局、台風などの被害があったことなどから、保存のことを考えて博物館に預けたという。現在、建仁寺にはその複製が展示されている。また同じく、海北友松《かいほうゆうしょう》という画家の襖絵の複製が、まさに建仁寺の室内空間にはめ込まれている。これらは複製画といえども、絵画が古来の空間にあることの重要性、あるいは心地よさを存分に感じさせてくれる。いい襖絵や屏風絵があるのとないのとでは、部屋の華やぎがまったく異なるのである。

近年の日本の住宅では、そうしたぜいたくな空間には、なかなかお目にかかることができない。それは、ひょっとしたら日本人の感性の錆つきを物語っているのかもしれない。また、今の時代に自分の部屋にたとえば壁画を描いてもらおうという人は、あまりいないだろう。せいぜい壁紙でしのぐくらいである。しかし、たとえば狩野探幽のような一流の画家が自室の壁に絵を描いたとしたらどうだろう。生活がずいぶん豊かになると思うのだが。

どれだけお金をかけられるか

こうして美術にまつわる歴史をふり返る中で、どれほどのお金を美的生活にかけることができるかを考えてみるのも面白い。壁画や襖絵は、美術品のコレクションとしてふだんは収蔵庫にしまっておくという概念からは遠い存在だ。それゆえ、ふとしたことで汚れたり子どもが傷つけたりといったことを心配する必要もある。しかし、たとえば襖絵であれば、ときどき入れ替えるのも可能だろう。屏風なら普段はたたんでおけば汚れを防ぐこともできる。さて、額縁に入った絵画を買って壁にかけるのとあまり違わなくなってきたのではないか。さらには、もし画家が自室に絵を描くことになれば、もちろんそこに個性の主張はあろうが、すぐれた画家ならば空間との関係も十分に考えながら描くのではなかろうか。現代的な襖絵のしつらえも見てみたい。むしろ現代アートとしての襖絵もあっていいだろう。お金をかける価値は十分にあると思う。

実際、現代の住宅事情の中でも和室があるケースはなくなったわけではない。一方、経済的な視点で見た場合、ここで否定要因として考えられるのは、やはり事故が起きたときに破損する可能性や経年劣化する可能性の高さへの心配だろう。これは逆に考えると、こうした絵画を「芸術」として捉えるようになったゆえの意識の変化ともいえる。芸術という大層なものでなければ、仮に破損したら修理をしたり取り替えたりすれば済む話である。たとえば現代の住宅の壁紙などはその類だろう。ところが、芸術は基本的に唯一無二のものである。だからこそかけがえのない価値があるのだ。新しく自宅の居間にしつらえた襖絵が芸術に属するものであるならば、傷つかないようにあるいは長持ちするように気を使うのは当然である。むしろ、生活の場には置けなくなるかもしれない。額縁やガラスなどで保護する仕組みがないからだ。

襖絵・屏風の「生き方」

現代の美術品オークションでも襖絵や屏風絵が出品されることが時折ある。ニューヨークなどで開かれるオークションの出品物でも日本美術の場合は東京で下見会が開かれることがしばしばあり、筆者は何度も見に出かけたことがある。日本にも買い手の候補がいることが期待されているのである。屏風作品などはなかなか見事な金箔貼りのものが出品されるなど、目の保養にもなる。屏風にしろ、襖絵にしろ、たいていは数メートル幅の大作の部類に属する。しかし、意外なほど安い、というのが正直な感想だ。

たとえば、2007年9月にニューヨークで開かれたクリスティーズのオークションに、狩野探幽が描いた四曲一双屏風《よんきょくいっそう》《放牛田園図》が出品された。2・3メートル幅の屏風が2枚。全面が金箔貼りの水墨作品だ。屏風は面積が大きいので力強く派手な表現が可能だし、ダイナミックな動きを描き出したような作例も実際にある。一方では何人もの画家が手掛けた「洛中洛外図」のように京都の町を俯瞰して人々の活動をぎっしりと描きこむことで独特の活気を醸し出した画題のものもある。しかし、狩野探幽の《放牛田園図》は金箔こそ全面に貼っているものの、余白を大きく取って墨の単色で2頭の牛や田園地帯を描くことにより、素朴で静謐な世界を創出している。あるいは一種の理想郷を描き出しているのかもしれない。17世紀、ちょうどレンブラントやフェルメールがオランダで活躍していた頃の古典絵画。しかも狩野探幽というビッグネームの作品である。落札価格は6万1000ドル（当時の為替レートで約700万円）。ずいぶんリーズナブルな価格だと思われないだろうか。こうした話を京都の古美術商としていたときに、聞いたのは次のような言葉だった。

「特に日本では、住宅事情から家に飾れない。だから国内ではあまり屏風や襖絵は売れないんですよ」

京都でも、買っていくのは主に外国人だという。確かに、自分の家に飾ることを考えると持て余すことは間違いない。本来は家の調度品にすべきなのだろうが、生活様式は欧化の一途をたどっているし、もはや美術品として扱われているものを、本当に襖や屏風として使うわけにもいかないだろう。かくしてこうした作品は、美術館の収蔵品になるか、海外の大邸宅に飾られるかという難しい「生き方」を迫られているのである。

近年は、プリンター・メーカーが日本美術の高精細の複製品を多数制作している。実はそうした複製品も、1点を制作するのに数百万円かかると聞いて驚いたことがある。高性能スキャナでスキャンし、入念に色調整したものを、特殊な大型プリンターで印刷する。場合によっては金箔部分に本物を使うこともある。プリンター技術の粋を見せようという目的もあるようだ。だから費用がかかるわけだが、元の作品の値段とあまり変わらないというところが何とも興味深い。

《四季花鳥図（雪中梅竹鳥図）》

徳川家には江戸城の印象が強いが、この障壁画のある名古屋城は徳川家康が建てた尾張徳川家の居城だ。その中で幕府の御用絵師を代表する存在と目される狩野探幽が徳川家の襖絵を手掛けるのは自然なことと思われるが、制作されたのは3代将軍家光のときだった。家光が京都に上ることになり、名古屋で宿泊することになったために造営された「上洛殿」を飾るものとして、この障壁画の制作が実現したのだ。

狩野永徳《かのうえいとく》※の孫として、御用絵師の家系を継承した探幽は、このころ30代前半。早熟と言われていた探幽の、画家として脂が乗っていたころの作品と見られる。上洛殿数十面の障壁画の制作には弟子等の力も加わっていたと想像されるが、主要部分は探幽自身が手掛けたと推測されている。濃彩画に囲まれた部屋は豪華な空気に満ちる一方で、水墨の部屋では単色にもかかわらず豊穣な世界が創出され、余白には研ぎ澄まされた

※織田信長や豊臣秀吉に重用された絵師。代表的な作品として《洛中洛外図屏風》（国宝）、《聚光院障壁画》（国宝）などがある。

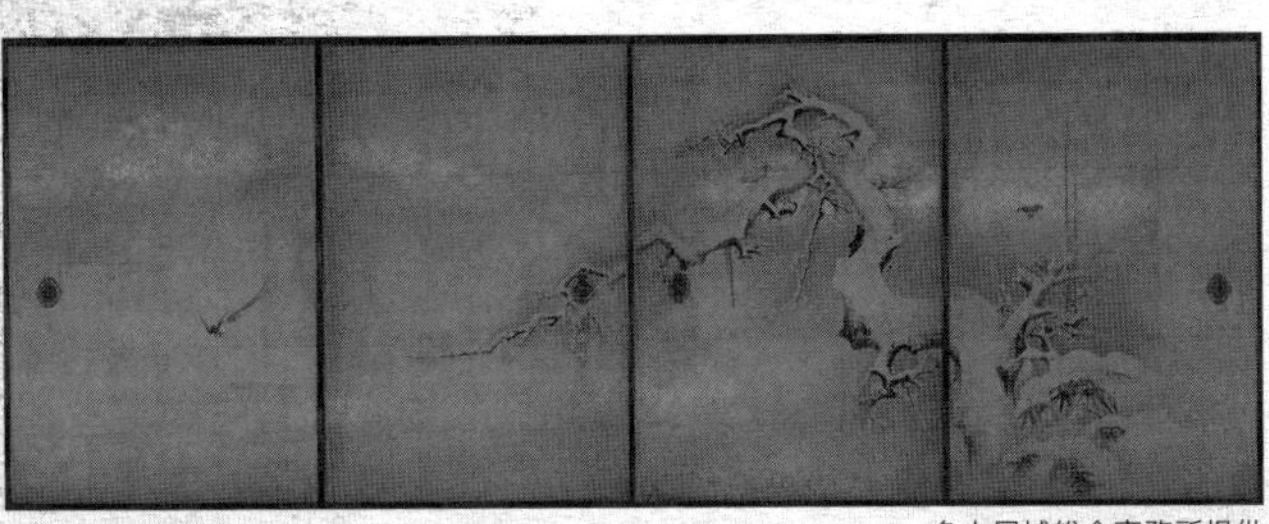

名古屋城総合事務所提供

名古屋城障壁画より《四季花鳥図（雪中梅竹鳥図）》

武家の心さえ見えてくるかのようである。こうして、江戸時代の狩野派を代表する作品が完成した。

御用絵師は武家に雇用されていたわけだが、探幽は将軍の家光やその息子の4代将軍家綱に絵を教えた。それは幕府にもらっていた「給料」のうちの仕事だったのだろうが、為政者の絵のたしなみに貢献したとすれば、江戸時代というのはまた、なんと酔狂な時代だったのだろうとも思う。家光や家綱は、まるでゆるキャラのようにユーモラスなうさぎや鶏を描いている。探幽は中国の伝統画法を大切にした画家だったが、実はとても柔軟性の高い人物だったのではないかと想像している。

経済が美術を支えることは可能か？

ここまでは、歴史的ないくつかの事例から、美術家と経済の関わり方の一部を見てきた。現代では、人間のほぼすべてが経済活動の中で生きているゆえ、美術家にもなんらかの関わりがあるのは、当たり前のことである。一方で、人間は必ずしも儲けるために表現をするわけではない。むしろ、「儲からなくてもいい」あるいは「貧乏でもいいから自分の好きなように芸術作品を作りたい」と意識して制作を続けている美術家さえいる。先に挙げたゴッホの例のみならず、近代の日本でも、たとえば戦後画業が高く評価された長谷川利行《はせかわとしゆき》は生前はさほど評価されず、１９４０年に行路病者として施設に収容され、ほどなく亡くなった。

そもそも商品が商品として成立するためには、必ず買う人がいなければならない。

しかし美術家本人が他人の目を意識せずに作品を作った場合は、買う人がいるとは限らない。美術家はそもそも、生きていくうえではしばしば厳しい環境にいる。そうしたことを前提に、改めて経済が芸術を支えるということが本当に可能なのかについて考えたいと思う。

美術作品が売れない理由

時代の先を行く美術作品が売れないところには、合理的な理由もある。後世に残るような深みのある芸術性を持つ作品は、表現が先鋭的で斬新であることが多いために、同時代に生きる保守的な価値観を持つ多くの人々には理解や共感を得にくい。一部に真価を見出した人がいたにしても、ゴッホの例のように売り出しに慎重な姿勢を見せたり、美術史の学会誌や美術雑誌の評論などで説得力のある文章を書いたり、学芸員が展覧会で見せる機会を作ったりするプロセスの積み重ねが必要になるため、顕彰にはどうしても時間がかかる。それゆえ、生前の成功には間に合わないことが多くあるのである。

それを考えれば、19世紀フランスのモネやルノワールは結構恵まれたほうだったかもしれない。第1回印象派展がパリの写真家ナダールのスタジオで開かれたのは、1874年のことだ。モネの絵は当時の評論家から「まるで印象のようだ」と揶揄され、まともな表現とは認めてもらえなかった。それでも彼らは1900年前後にはフランス美術界では巨匠としての地位を確立しており、1910年前後には日本から渡仏した梅原龍三郎がルノワールに弟子入りするといったようなこともあったのである。

お金が美術を支える

では、経済が芸術を支えることはあまり現実的ではないのだろうか。決してそんなことはない。人間の営みに食べていく手段の確保が必須である以上、それが芸術の分野であってもやはり経済活動は必要だ。

たとえばゴッホの時代に画商という職業が存在していなかったらどうだったのだろうか。ゴッホは画家として生きようとさえ思わなかった可能性がある。ゴッホは絵が売れなかったことをよしとしていたわけではない。そもそもゴッホは自身がグーピル商会という画商のデン・ハーグ支店やパリ本店で1869年から1876年まで働いており、画商の存在意義は熟知していた。画家を目指すにあたっては、当然、絵を売って生計を立てることを意図していただろう。ただ、前述の新関さんの説にあるように、実際には弟のテオが画商として戦略的に売らなかったとの考え方をしてみる。生計に関してはテオが生活費を工面していたので、作品が高く売れるようになる将来を見越して〝投資〟していたと捉えれば、すでにゴッホの絵画は経済設計の中に組み込まれていたわけだ。もう少し噛み砕いていえば、売り急いで沈没するよりも、機が熟するのを待って売ったほうが高い値段を付けられ、トータルで考えると経済的な成功が見えてくるわけである。残念ながらテオは、ゴッホが亡くなった翌年に後を追うかのように亡くなったため、自分でその成功の道筋をつけることはできなかった。しかし結果的に、ゴッホの絵画は美術市場で極めてインパクトの強い存在に育つ。テオの読みは当たっていたのである。歴史に〝if〟はないというが、ゴッホとテオの兄弟がもっと長く生きていれば、どちらも経済的に成功していたことは、容易に想像がつく。ハングリーでなくなったゴッホが、その後いい絵を描くことができたかどうかまではわからない。しかし、美術市場で売れる画家になろうという兄弟二人の熱望が、ゴッホの制作意欲を掻き立てたのは確かだろう。それがなければ、テオが絵描きとしてのゴッホを支えることもなかったわけである。テオは支援をやめるか、ゴッホにほかの仕事をするように勧めるか。そんな展開にならざるを得なかったのではないか。ゴッホの兄弟にまつわる物語を、経済が芸術を支える例として挙げることに、何もはばかる要素はない。

筆者は、以前美術マーケットに関する報道記事を載せることを編集方針にした雑誌『日経アート』（日経BP社刊）の編集部に在籍したことがある。読者の7割以上が、収集家や画商など、実際に美術品を購入する層だった。そのころは、たくさんの画商を取材した。興味深かったのは、一部の画商が芸術とお金を結びつけることを嫌っていたことだ。もちろん画商は絵を売る商売である。しかし同時に、芸術家を育てる仕事をしているという自負を持っている。筆者はそれをとてもいいことだと思う。ただ、実際に作品をお金で語ろうとすると、「もっと芸術的なことを語ろうよ」と言われる、あるいは、暗にそんな空気を漂わせることがしばしばがあった。そこには、お金は芸術にそぐわない汚いものであるという漠然とした思い込みも見られた。もっというと、筆者自身もあまりお金で芸術を語ることを好まなかった。しかし実際には、芸術の世界にはお金の存在がほぼ必須である。ダ・ヴィンチの例にしても、ゴッホの例にしても、絵がお金にならなければほとんどのものは生まれなかったのではなかろうか。

気をつけるべきは、儲けることを第一の目的にするとさまざまな歪みを呼び、結局は失敗につながりやすいことである。芸術の真価というものはなかなか見極めがたく、短期で儲かるものがそのまま価値を持ち続けるとは限らない。経済について考えることは必要だが、美術においては利潤を念頭に置いて売買するのは、少なくとも愛好家には難しい。おそらく使っていい経済用語は「投資」である。逆に忌避すべき用語は「投機」である。その二つの言葉の違いを慎重に考えながら、美術を経済で考えていくことが肝要であるように思う。

COLUMN

レオナルド・ダ・ヴィンチと音楽

レオナルド・ダ・ヴィンチは現在は画家として有名だが、戦車などの兵器や土木工事の設計、音楽の分野でも才覚を発揮しており、何が本業だったかと問われても答えにくい。シームレスにさまざまな仕事の間を渡り歩いていたからだ。「万能人」といわれるゆえんである。

「音楽家」の側面だけを取り上げても、かなりのマルチプレイヤーである。擦弦楽器であるリラ・ダ・ブラッチョの演奏に長けていたばかりでなく、楽器を考案したことでも知られている。ダ・ヴィンチが考案した「ヴィオラ・オルガニスタ」は鍵盤で演奏する仕組みを持ちながら、ヴァイオリンやチェロのように弦を擦って音を出す。ピアノやチェンバロとは異なり、持続音が出ることを特徴としている。弦楽器が奏でる類の魅力的な音を、どうにかして鍵盤楽器でも可能にできないか。そんな発想に始まる試行錯誤から生まれたのだろう。近年は、ダ・ヴィンチが残した手稿のなかにあったヴィオラ・オルガニスタの図からリアルな楽器を実際に復元し、演奏を試みた例も見られる。

さらにダ・ヴィンチは、「オルフェウス物語」というオペラのプロデュースもした。2019年8月に埼玉県川口市で開催された「ダ・ヴィンチ音楽祭　in　川口」では復元上演の試みがなされている。

第2章

浮世絵に見る商業アート

浮世絵は江戸時代、出版社が発行する「雑誌」だった

「美術」という言葉は、日本の歴史の中で見るとかなり新しい。少なくとも江戸時代には存在せず、明治になって西洋から輸入された概念から生まれた造語だ。１８７６年（明治9年）に「美術」という単語が使われた「工部美術学校」という教育機関が開設されているので、その頃には概念がある程度確立していたと考えられる。一方で、江戸時代以前にも絵画や彫刻はたくさんあった。むしろ、狩野探幽、円山応挙、伊藤若冲、池大雅《いけのたいが》、渡辺崋山ら多数の名画家を輩出した江戸時代は、美術の百花繚乱の時代だった。「美術」という概念がなくてもすぐれた美術が存在したということ自体がおもしろい。

逆に、江戸時代以前の日本の美術はむしろ、絵を買う町人や寺社といった世の中の

市場のニーズあってこその、経済的な存在だったともいえる。画家には、御用絵師を抱えた将軍家や大名、浮世絵制作のプロデューサーである版元など、障壁画や版画の下絵を描くための雇用主や取引の相手がいた。

「美術」の弊害とは?

さて、ここで考えてみる。ひょっとすると、今の時代には「美術」という言葉を聞くだけで、ちょっと身構えてしまう人も多いのではなかろうか。ピカソやルノワールの名前が知識としてはあっても、決して美術館に足を運ぶことはない、というような。そこにはひょっとすると、「美術」という言葉がもたらした弊害もあるのかもしれない。何が描いてあるのかわからないとか、ただ見ているだけではつまらないなど、少し難しいあるいは退屈なイメージを与えてしまう場合があるからだ。

その点、「美術」という言葉が存在しなかった江戸時代はよかった。そもそも美術館も存在しなかった。絵が描かれていたのは、たとえば城や寺の襖の上である。あるいは茶室の床の間にかかった掛け軸である。そこにいても、特にそれらを鑑賞する必要はない。絵がある空間の中で、おしゃべりをしていたり、仕事をしたりしていればよかったのである。茶道の場合は総合芸術ともいわれるので、絵の存在は重要ではある。しかし基本的には、茶室で作法に従ってお茶を飲むというのが最大のミッションである。あるいは寺の場合は、やはり絵は注視されるようなものでもなく、僧侶たちはその中でお経を唱えたり、掃除をしたりといった日常業務に明け暮れる。寺の仏像には、彫刻として素晴らしい美術品が数多くある。しかしそれらも、美しさを意識的に鑑賞する必要はない。むしろ必要なのは、拝むことだ。

つまり、「美術」を難しい存在にしているのは、「美術」であることを意識して「鑑賞」するという行為なのではなかろうか。ここで、もっと庶民的な絵画について考えてみよう。浮世絵だ。

日本を代表する「美術」、浮世絵

浮世絵には大きく分けて、肉筆画と版画の2種類がある。肉筆画は、いわゆる一般の絵画と同じで、筆を使って描くものである。版画については、おそらく多くの方が小学校の授業で習ったことがあるような木版画の応用である。下絵を描いてそれを版木に貼り付けて彫刻刀で彫り、絵の具を塗って上から紙を当てて印刷する。よく知られた葛飾北斎などの作品がカラーなのは、同じ下絵による版木を何枚も作って版ごとに違う色の絵の具を塗り、1枚の紙に重ねて印刷することで多色刷りを実現したからである。世界の版画の歴史の中でも、江戸時代の浮世絵版画の技術は、当時、類を見ない水準にあったといわれる。明治時代に入ってさまざまな事情から数十万枚以上の浮世絵版画が欧米に流出し、その素晴らしさが人々を驚かす。たとえばおそらく日本人の絵画としては世界で最も有名であろう葛飾北斎の《冨嶽三十六景　神奈川沖浪裏》（東京都江戸東京博物館蔵、口絵3）は、1905年にフランスでドビュッシーが作曲した管弦楽曲「海」の楽譜の表紙にその図柄の一部が引用されている。そもそも、この「海」という楽曲自体が、北斎の浮世絵にインスピレーションを得て作曲されたという。描かれた波は実にダイナミックで迫力があるにもかかわらず、装飾デザインとしても秀逸なセンスを持っている。ヨーロッパ人にとって極めて刺激的な絵だったのだ。

浮世絵版画は、その後欧米の美術市場で盛んに取引されるようになり、サザビーズやクリスティーズなどの有名な海外のオークション会社のセールでも、頻繁に登場してきた。2017年4月には、《神奈川沖浪裏》がニューヨークで開かれたクリスティーズのオークションで、約1億380万円で落札された。日本の浮世絵は世界で有名だが、同じ図柄の作品がある程度の数存在する版画であることを考えると驚異的な金額だ。なお、クリスティーズがつけた予想落札価格（8万～10万米ドル）の約10倍の価格で落札されていることから、通常の相場を大きく超えた取引だったことがわかる。

北斎に限らず、米国のボストン美術館やパリのギメ東洋美術館など、浮世絵の大コレクションを持つ欧米の美術館は多い。浮世絵版画は、いわゆる日本の「美術」として、最もメジャーなジャンルともいえる。

大量生産を可能にした浮世絵の経済システム

ここで、経済の視点で浮世絵版画を捉え直す。たとえば先ほど例に挙げた《神奈川沖浪裏》は、北斎一人の力では生まれえなかった。江戸時代の浮世絵版画の制作を支えたのは、独自の経済システムである。重要なのは、版元の存在だ。版元は、今の時代の出版社あるいは総合プロデューサーだったと考えるとわかりやすい。世の中のニーズを捉えて商品化する。それが結果的に〝文化〟を作るのは、現代と同じである。北斎の「冨嶽三十六景」シリーズは、江戸時代の富士山信仰がベースにあり、盛んになっていた旅行需要を反映させた「出版物」だったのだ。1枚ものの肉筆画と違って数百枚単位で「生産」できるゆえ、現代の価格換算で数百円程度と単価を安く抑えることができたのは、まさに現代の印刷物と同じ市場原理下のシステムによる。

版元の下では絵師のほかに、彫師、摺師という職人たちがいて連携して仕事をしていた。絵師のみならず彫師や摺師の名前の印章が認められる作品もあり、高度なスキルを持つ職人たちが社会的な認知もされていたという点でなかなか興味深い。

絵師の仕事は下絵と色指定だけ

特に注目すべきは、絵師のあり方だろう。浮世絵制作においては、絵師の仕事は下絵の輪郭線を描くだけだったという。下絵は墨で描き、どんな色を塗るかを指定する。いわゆる近現代の普通の画家は、絵の具で色を塗るのが一般的なあり方である。しかし、浮世絵においては、実際の発色は摺師の仕事だった。筆者は編集の現場で、イラストレーターが輪郭線だけ描いて色指定をし、実際の色付けは印刷会社に任せるというやり方によるイラストを扱ったことがある。この場合の「摺師」は印刷会社のコンピューターだった。さて、どうだろう。「浮世絵師は江戸時代のイラストレーターだった」といっても間違いではないような気がするのだが。

ただし、江戸時代の摺師の技術は、並のコンピューターではかなわないように思う。たとえば葛飾北斎の「冨嶽三十六景」のシリーズに《凱風快晴《がいふうかいせい》》という有名な1枚がある。おそらくオリジナルに近い状態を保っている名コレクションの中にあるこの作品を、2019年に千葉市美術館の「オーバリン大学アレン・メモリアル美術館所蔵メアリー・エインズワース浮世絵コレクション　初期浮世絵から北斎・広重まで」という企画展で鑑賞する機会を得た。とにかく発色が素晴らしかった強烈な印象が脳裏に残っている。空の色は当時ヨーロッパから輸入されて普及した「プルシアンブルー」という絵の具で表現された鮮やかな青。画面の中心にでんと座っている富士山は、濃厚な赤褐色。そのコントラストは、見事というほかなかった。一方で、前述した通り、この絵で北斎がした仕事は、輪郭線の描写と色指定だけだった。もちろん、色指定をする時点で北斎の感性は十分に生きているのだが、やはり実際に絵の具を塗る摺師の役割は限りなく大きい。そしてそのシステムがあるからこそ、同じ絵柄の版画作品が大量に生み出されることになったわけである。一度に摺られたのは数百枚。大量に摺っているうちに版木が擦り切れることがあるため、需要があるものについては版木を作り直して増し摺りされた。

浮世絵が芸術品に昇華したのは大量生産したからこそ

この「大量」というキーワードは、美術よりもむしろ経済の世界に近しいものである。基本的に油彩画などの美術品は1点1点が異なっており、同じものがほかにはない。だからこそ唯一無二の価値があり、高額な価格がつくケースがあるのである。しかし、江戸時代の日本に「美術」「芸術」などの概念が存在しなかったことは、非常に重要である。もし浮世絵師たちが今のような芸術家としてのみ存在していたら、ひょっとすると自分を安く売ってしまうような版画にはあまり手を出さなかったかもしれない。

ちなみに、葛飾北斎はおそらく世界で最も有名な日本の画家だ。その大きな理由の一つとして、浮世絵版画が大量にヨーロッパに出回ったことを挙げることができる。たとえば「冨嶽三十六景」シリーズの《凱風快晴》や《神奈川沖浪裏》は、欧米のたくさんのコレクターが入手している。これが1枚しかなかったならば、死蔵されていた可能性がないとも限らないし、モネやゴッホらヨーロッパの画家たちに大きな影響を与えた可能性も低かったかもしれない。モネは自分で浮世絵をたくさん収集していたし、ゴッホは馴染みの美術商の店で、多くの浮世絵を目にする機会を得ており、歌川広重などの作品の模写もしている。出版物の役割と美術品の役割を、北斎の浮世絵版画は同時に果たしたことになる。現象としてはなかなか面白い。

「印刷物」としての役目を終えた浮世絵

職業として絵を描く人のことを、一般に「画家」という。江戸時代以前の日本においては、「絵師」という呼び方をする場合が多い。中には、職業としていたわけではなかったが、すぐれた絵画作品を残したために、画家あるいは絵師と呼ばれている人もいる。

さて、江戸時代の浮世絵師は、その名の通り「絵師」に分類される。しかし、浮世絵版画、いわゆる錦絵は、当時においては美術品というよりも印刷技術の成果であった。先にも述べたように、浮世絵版画の制作には絵師、彫師、摺師という3種類の手技を持つ職人が別々にいた。今の時代でこそ、葛飾北斎や喜多川歌麿など、絵師の名前が大きく取り上げられるが、制作工程全体でみると、彼らが果たした役割は一部にすぎなかった。

明治時代以降、西洋の印刷技術が輸入され、だんだん浮世絵版画のような木版画の技術を利用した印刷は廃れていく。それでもまだ明治の前半には、たとえば「東京日日新聞」や「郵便報知新聞」など、浮世絵の技法を使った「錦絵新聞」と呼ばれる一枚物の出版物が結構な数発行されている。それらは、絵を主体として、文章が添えられた多色刷りの媒体だった。技法は浮世絵版画とまったく同じ。絵師、彫師、摺師の分業体制で制作される木版画の「印刷物」だった。

《冨嶽三十六景　神奈川沖浪裏》

2017年に国立西洋美術館で「北斎とジャポニスム」と題した展覧会が開かれた。日本美術が欧州の多くの美術家に影響を与えた「ジャポニスム」※を研究する馬渕明子同館館長肝煎りの企画展だった。そこでは、これでもかというくらいに北斎の欧州での存在感を見ることができたのだが、やはり《冨嶽三十六景　神奈川沖浪裏》のコーナーは格別だった。北斎が影響を与えた多くは、西洋の画家の絵に対してである。ところが、《神奈川沖浪裏》に関しては花瓶のような立体物においても模した例があった。再現されていたのは、そのうねるような躍動感だった。これとは別に、筆者が2018年に訪れたフランス・ストラスブールの街角では、北斎の波を模した商店のショーウインドウと巡り合った。今でも北斎は世界に影響を与え続けているのだ。

北斎がこの「冨嶽三十六景」のシリーズを手がけたのは70代の頃。現

※日本趣味のこと。浮世絵の流入に加えて、19世紀中頃のパリ万国博覧会で工芸品などの日本美術が注目を集め、日本趣味がヨーロッパで流行した。

1831〜33年頃、大判錦絵、東京都江戸東京博物館蔵

Image:東京都歴史文化財団イメージアーカイブ

代のような長寿の世の中でも大方は引退しているような年代にこうした斬新な表現をしたのは、これまた恐るべきことである。北斎の波に対する観察眼やダイナミックな表現力は、とても年齢からは想像がつかない。筆者もまた北斎の生き様を目指したいと思う者の一人である。

浮世絵は出版物から芸術品へ

「錦絵新聞」の制作に携わった絵師の落合芳幾《おちあいよしいく》や月岡芳年《つきおかよしとし》は、明治に入って生きる道の開拓に邁進した浮世絵の継承者だ。二人はともに、武者絵や猫絵などをたくさん描いた幕末の浮世絵師、歌川国芳の弟子だった。彼らが手掛けた「錦絵新聞」は現代の写真週刊誌のような役回りで１８７０年代半ばに東京や大阪で20紙以上が創刊され、猟奇的な殺人事件やゴシップ関係の記事を扱うことでそれなりに成功したようだ。価格は１部１~２銭程度。現代の価値換算でせいぜい２００~３００円といったところだった。当時テレビや映画のような娯楽はなかったので、ゴシップ好きの人々はそれなりに楽しんだのだろう。しかし、偏った内容がまた飽きられる要因にもなったのか、だんだん現代の新聞のような報道媒体にニーズが変容し、結果的には10年ほどで役割を終えている。報道はスピードを必要とするが、錦絵新聞は多色刷りの木版画ゆえ制作に時間がかかる。単色刷りの活版印刷による「小新聞《こしんぶん》」と呼ばれる媒体に需要が収斂していったのである。それはまた、「錦絵新聞」に形を変えた浮世絵版画が「芸術品」ではなく「印刷物」として受け止められていたことの表れと理解すればいいだろう。いつの時代にも技術革新の波はいろいろなものを淘汰していく。旧来の媒体がそのままの形で生き残ることの難しさをも物語る。ただしそれはあくまでも「印刷」という視点で見たうえでの話だ。欧米を経由して「出版物」から「芸術品」へと認識が変わって現代に残り、それが市場価値の高さにも表れている。

独自の芸術ジャンルを形成した浮世絵

浮世絵版画は、日本特有の芸術の流れを新たに生み出すことにもつながった。山本《やまもと》鼎《かなえ》などによる大正時代の「新版画運動」として、日本に独自の芸術ジャンルを形成する。西洋では版画は主に複製のための技法であった。ところが日本では、こうした動きが美術史を形成し、ほかの技法ではなかなか表現できない木版画独自の味わいを打ち出した芸術が、ジャンルとして成立したのである。さらにそれは銅版画など版画全体の存在感を高め、いわゆる「版画家」の存在を生む。版画には技法ごとに独特の肌合いがあり、その質感は「芸術」と呼ぶにふさわしいものと筆者は感じている。また、筆者が勤めている美大にも「版画専攻」の学科が存在する。

廉価ながら市場価格を維持する浮世絵システム

「美術品」としての版画の特徴の一つに「廉価なこと」が挙げられる。単純な考え方としては、同じ作品が複数制作できるゆえ、市場原理から価格が抑えられると理解しておけばいいだろう。一方で、万を超える大量部数の制作には馴染まない。版画家が1枚1枚に目配りをして仕上げるゆえである。したがって、部数は限定となり、1枚1枚にエディション番号が振られるケースが多い。それはまた市場価格の維持にもつながっている。

筆者が取材したある日本人コレクターは、サラリーマンとして企業で働いていたころ、地道に版画を買い集めていた。1枚数万円程度でかなりいいものが買える。無名の作家のものだと数千円ということもある。それゆえ、企業オーナーなどの富裕層でなくても十分に質の高い作品のコレクションは可能なのである。

廃業した職人たちが残したもの

一方、新版画運動の美術家たちが大正時代に行ったのは、江戸時代の浮世絵版画そのままのやり方ではなかった。下絵だけでなく、版木への彫りも、紙への摺りも、画家が自分で手掛けたのだ。「自画自刻自摺」という。その結果起きたのが、職人としての摺師、彫師の廃業である。しかし、彼らの技術があまりに卓越していたことは、歴史を検証するうえでは見逃せない。たとえば、喜多川歌麿が多く描いた美人画の髪の毛に注目する。極めて細い1本1本を、彫り出しているのである。木版画は凹版ではなく凸版なので、ただ髪の毛を彫刻刀で彫るだけでは白黒が逆になってしまう。つまり、髪の毛が存在する部分を残して彫り出さないといけないのだ。実際の仕上がりを見ると、極めて精緻である。あるいは、何気なく表現されている文字についても同じである。必要な部分を残して周囲を彫り、美しい文字の数々を表現しているのだ。浮世絵版画を見るたびに、江戸時代の職人が持っていた技術の素晴らしさに心底感心する。こうしたことができる職人がいたからこそ、版元が印刷会社として有効に機能したのである。

《東海道五拾三次之内　蒲原》

歌川広重は武家出身の浮世絵師だ。同じ頃画家として活躍した渡辺崋山は田原藩士だったし、少し時代をさかのぼると秋田藩主の佐竹曙山《さたけしょざん》※1は なかなか巧みな洋風画を描いている。徳川家光などの将軍が絵を嗜んだのは前述した通りである。武士には厳格なイメージがあるが、絵に興じ、道を究めた人々も多かったことがわかる。一方では、伊藤若冲のように青物問屋を引退して絵の道に入った者や、白隠《はくいん》慧鶴《えかく》※2のような画僧もいた。江戸時代の絵画界がとても頼もしく感じるのは、身分社会であるはずなのに、さまざまな出自の画家がいたからなのだと思いいたった。

さて、広重の「東海道五拾三次」は、とても武士が描いたとは思えないほど、着想と表現力が豊かである。江戸時代には旅行ブームがあり、このシリーズはそのガイド本の役割を果たしたと目されるが、中でも《蒲原》には格別な味わいがある。深々と降り積む雪。おそらく無音だ

※1
1748年〜1785年。佐竹義敦。曙山は画家としての号である。代表作に《松に唐鳥図》（重要文化財）などがある。

※2
1686年〜1769年。臨済宗の僧。画家としての代表作に《達磨図》（大分・萬壽寺蔵）、《大燈国師像》などがある。

1833～34年、大判錦絵、東京都江戸東京博物館蔵

Image:東京都歴史文化財団イメージアーカイブ

ろう。限りなく詩的で美しさを究めた画面なのに、人々の足跡にリアリティーがある。フランスの画家、アンリ・リヴィエール※3は葛飾北斎へのオマージュとして「エッフェル塔三十六景」という版画のシリーズを制作したが、そのうちの1枚は建築中のエッフェル塔が描かれた雪景の中を、人々が足跡を残しながら歩む図だった。北斎へのオマージュでありながらも、この1枚だけは広重に大きく触発されたことを思わせる。それほど見事な1枚である。

※3
1864年～1951年。「フランスの浮世絵師」の異名を持つ。

浮世絵の商業性に限界を感じた葛飾北斎

現在とはまったく違った認識のもとに制作されていた浮世絵版画だが、絵師が決められた範囲の仕事に徹する職人であることに満足していたかというと、実際はそうでもないようだ。特に顕著なのが、葛飾北斎だった。

江戸時代の浮世絵師たちは、浮世絵版画においては下絵を描く職人だったが、元々絵を描くのに優れた技量を持っていたということは、ごく普通に掛け軸に仕立てるような絵を描くのも得意だったはずだ。実際、多くの絵師が肉筆画を描いている。絵師にもよるが、ひょっとすると、作家の署名が入った浮世絵版画は、絵師の技量や個性を宣伝するにはいい媒体になっていたのかもしれない。肉筆画を注文するのは、町人の富裕層などのパトロンだったと推定される。場合によっては大名家などが注文していたこともあったようだ。

版画よりも肉筆画を好んだ？

さてその中で、日本のクリエイターの代表的な存在として世界的にも認知されている葛飾北斎は何をどう感じていたのかをここで考えてみる。北斎は浮世絵師として有名だが、その知名度の高さの源となっている「冨嶽三十六景」シリーズなどは、70代になってから制作したものである。また、版本など版画の技法を利用して制作した出版物の絵を描くことなどにも携わっている一方で、肉筆画をたくさん描いたことでも知られている。現代でも北斎の肉筆画を目にする機会は比較的多い。そして実際に目にすると、その描写力や構想力に驚嘆する。

浮世絵を専門に収集する東京の太田記念美術館で、あるとき、対になった2枚の肉筆画の〝再会〟とでも称すべき展示に出会ったことがある。画題は、龍と虎。中国や日本の絵画の伝統的なモチーフである。〝再会〟のきっかけは、当時、同館の副館長だった永田生慈さんが、パリのギメ東洋美術館で太田記念美術館所蔵の《虎図》を展示するために現地に持って行ったことだった。《虎図》をパリの学芸員に見せると、

「うちの美術館にも、似たような作品がある」というのだ。そこで出してきたのが、《龍図》だった。実際に並べると、大きさも表装も一致していた。しかも、龍と虎がにらみ合っていたのである。これらの作品は90年近くを生きた北斎最晩年の作。筆者は比較的最近、このペアを再度見る機会に恵まれたが、その高い技量も独特の茶目っ気も健在だったことを改めて確認した。北斎は最晩年まで肉筆画を描くことに情熱を燃やしていたのだ。そして、永田さんの研究によると、北斎は版元などの意向が強く反映する浮世絵版画については、あまり前向きに仕事をしていたわけではなかったようなのである。

商業性より芸術性を選んだ北斎

江戸時代の「版元」は出版社だから、売れる絵を好む。たとえば「冨嶽三十六景」については、当時の富士山信仰の盛り上がりを映しているとも聞く。ほかの浮世絵師の例でいえば、歌川広重の「東海道五拾三次」シリーズや「名所江戸百景」シリーズは、当時の旅行ブームや観光ブームを反映している。そうした商業的な制作物が、大胆奇抜な絵画をたくさん生んだというのは驚嘆すべきことだ。しかし、現代ではそうしたことの多くは、いわゆるデザイナーが仕事の領分としているジャンルである。画家にとっては、描く絵は自らの表現の発露である。往々にして、多くの人々が欲するものと個人が主張したいこととは異なる。美術というのはその最たる分野だ。北斎の心の中には、芸術や美術という概念が日本に存在しなかったこの時代から、芸術家としての自覚が芽生えていたのだろう。それゆえ、版元などの意向に比較的左右されにくい肉筆画のジャンルに情熱を注いでいたと見ることもできる。北斎の作品として有名な版本《北斎漫画》は、ターゲットがいわゆる一般人ではない。「漫画」というタイトルがついているものの、これは「漫然とした絵」という意味でつけたとのことであり、現代の漫画とはまったく異なる。そこに描かれているのは、実にさまざまなモチーフである。《北斎漫画》は、ほかの画家が参考にして描くための「絵手本」だった。北斎の心の中に、画家としての理想像のようなものがあり、それをたくさんの画家に伝授しようという意図のもとに作られたのだ。

こうした「絵手本」の類は、狩野派の絵師なども残している。なかでも《北斎漫画》は出色の例として、その存在感を美術史上であらわにしている。しかも、《北斎漫画》にあるモチーフを、北斎は自らの作品に使ったとみられる例もある。北斎の芸術家としての自我は、相当強かったのではなかろうか。

《北斎漫画》

絵手本、すなわち画家が参考にするためのモチーフがたくさん掲載された画集として出版されたのが《北斎漫画》である。現代の漫画とは異なり、漫然とした絵といった意味のネーミングだが、内容を見るとむしろまったく漫然とはしておらず、目が覚めるほど変化に富み、気の利いた図柄が大量に並んでいる。欧州でもおそらくかなりの数が出回っていたのではなかろうか。エドガー・ドガ[※1]やメアリー・カサット[※2]など印象派周辺の画家には、北斎漫画のモチーフを本当に「手本」にしたと見られる絵がたくさん存在する。筆者が「こんなところでも！」と思ったのは、スイスやドイツで活動をしていた画家のパウル・クレー[※3]が、モチーフを流用したと見られる素描作品を残しているのを知ったときだった。

現在は、国内で文庫本でも出版されているので、興味を覚えた方は入手するといいと思う。人物のさまざまなポーズ、妖怪の数々、虫や鳥

※1
1834年〜1917年。フランス印象派周辺の画家。バレエの踊り子を題材にした作品を多く残す。

※2
1844年〜1926年。米国出身の女性画家。カミーユ・ピサロの下で学び、母子を題材にした作品を多く残した。

《北斎漫画》(江戸時代後期)より、東京都江戸東京博物館蔵

Image:東京都歴史文化財団イメージアーカイブ

や植物の博物画、たくさんの変な顔、たくさんの鳥居や建物、たくさんの船……。およそ4000カットにのぼるという。見ていて本当に飽きない。先に「現代の漫画とは異なる」と書いたが、逆に現代のギャグ漫画に通じるようなデフォルメの表現が認められる。欧州の画家たちがモチーフの借用に夢中になった理由も、実によくわかる。

なお、《北斎漫画》は北斎存命中に刊行が始まり、没した後、明治時代に入って全15巻が完結した。

※3 1879年～1940年。1つの画風に捉われずさまざまな作品を残したスイス出身の画家。

浮世絵はなぜ明治に入って終焉を迎えたのか？

浮世絵版画は、当時世界でも類を見ない高品質のカラー印刷技術の精華だった。江戸時代中期には喜多川《きたがわ》歌麿《うたまろ》や東洲斎写楽《とうしゅうさいしゃらく》が現れて、色鮮やかな浮世絵の数々が江戸の市民生活を潤わせていたわけだが、葛飾北斎や歌川広重などよく知られた浮世絵師はかなり幕末に集中している。武者絵や猫の絵などで近年人気の歌川国芳《うたがわくによし》は１８６１年没。まさに幕府とともに命運を終えた画家だった。

一方、明治に入ると「最後の浮世絵師」と呼ばれる画家が何人か登場する。河鍋《かわなべ》暁斎《きょうさい》、小林清親《こばやしきよちか》、月岡芳年などである。本来は一人しかいないはずの「最後の浮世絵師」が複数いるのは、こうした画家を顕彰する際の、研究者の価値観の違いによるものだろう。彼らは間違いなく、浮世絵師の系列に位置する。そして、それぞれの生涯が、浮世絵の動きが明治に入って終焉に向かったことを物語る。

維新後の浮世絵師たち

河鍋暁斎は、まさに明治に入った後に浮世絵版画から肉筆画へと活動の軸足を移したと見られる。師匠は、先ほど名前を出した歌川国芳である。暁斎はアイデア、画力ともに優れた画家で、幕末には、師匠譲りの浮世絵を横に3枚並べた大画面で、たとえば幕府軍と長州軍に分かれたと目されるカエルの軍隊の戦いの様子などをおもしろおかしく表現した作品など戯画系の浮世絵版画を残した。こうした批判精神は明治維新後も続き、1870年、官憲に捕まって鞭打ちの刑にあう。そして、それまで実は、「狂斎」と名乗っていたのを、少なくとも表づらとして反省の意を表すためか、「暁斎」という漢字に改めた。だから、この字を書きながらも、「ぎょうさい」ではなく「きょうさい」と読む。

その後、暁斎は、肉筆画を多く描くようになる。困ったちゃんのような顔をした閻魔様や、池の中のナマズを猫が狙う様子など、やはり機知に富んだ絵をしばしば描く。本当に見ていて楽しい絵ばかりだ。一方で、直接権力を批判するような大量印刷の出版物からは手を引く。暁斎は、10代のころ狩野派の画家にも弟子入りをしており、恐らくはもともとあった画才がそこで大いに育まれ、筆による墨線を巧みに使った第一級の画家として育つ。明治中期を迎えようという頃には、その才能が米国人哲学者のアーネスト・フェロノサらの目にとまり、1887年に開校した東京美術学校の教授への就任を依頼される。きちんとした報酬をもらえる画家になったという点では、浮世絵師や狩野派とは異なる生計の立て方が画家に可能になったことになる。惜しまれることに、教鞭を執ることなく1889年に病気で亡くなってしまった。

小林清親は、明治に入って浮世絵版画の新しい境地を開拓した。西洋の文化が大量に流入するなかで、清親は「光線画」と呼ばれる技法を編み出す。それまで日本の絵画では、光と陰を積極的に表現することがあまりなかった。西洋で光を画面に描きとめた印象派が登場するのは、ちょうど明治の頃である。第1回印象派展が開かれたのが1874年、明治7年のことだった。モネやルノワールが開拓した光の表現は、15~16世紀に隆盛を見たイタリア・ルネサンス以来のリアリズムを突き詰めた究極の描画法だった。西洋では、陰影をたくみに描き出すことによって二次元の平面に立体感を表出する技術が定着していた。小林清親の光線画は、そうした西洋的な手法をさらに工夫して独自のリアリティーを出すことに成功したのである。光線画による光の表現は、なかなか見事である。

　ただ、浮世絵版画の分野で清親の絵が売れ続けることは、なかったようである。明治後半に入ると、清親も肉筆画を描くことを主たる生計のよりどころにする。伝統的な日本の画題である福禄寿の一部を西洋的なリアリズムに基づいて描くなど、なかなかユニークな作品を残しているのだが、清親は地方を旅して肉筆画を描くことで糊口をしのぐなど、才能に比して経済状況に恵まれていたとは言い難い境遇にあった。やはりそこには、江戸時代のようには浮世絵が売れなくなったという現実が壁としてあったことが推察されるのである。

　月岡芳年も、浮世絵師としてしぶとく頑張った。河鍋暁斎と同じく、歌川国芳の弟子だった。何せ国芳には80人もの弟子がいたという。そのこと自体が幕末の浮世絵師の職業としての人気を物語る。芳年は、その中でも特に優秀な弟子だったと推察される。芳年が明治に入って手掛けた仕事の中に、前述した「錦絵新聞」の一つ、「郵便報知新聞」があった。特に「血みどろ絵」と呼ばれた残虐な事件などを描いたものは、芳年を「血みどろ絵の画家」として認知させてしまった。それは芳年が数十年の画家人生の中で数年手を染めただけの仕事にすぎなかった。ただそこにはやはり、明治という激動の時代を自らの能力をフルに使って生き抜こうとした画家の生き様が象徴されているのである。

美術の価値観も変えた明治維新

美術の動きは、しばしば政治的な変革とは様相が異なる。政治の体制が変わったからといって、画家個人の作風がそんなに急激に変わるということは、普通はない。それゆえ美術の世界に政治の影響が現れる際には、通常タイムラグがあるものである。ところが日本の明治維新は例外だった。幕府が画家を雇っていた御用絵師の制度が廃止されて、狩野派の画家たちは失職する。たとえば狩野芳崖《かのうほうがい》のような極めて優れた着想と技量を持つ画家も、明治に入ると東京では食べて行くことができず、いったんは郷里の山口に帰らざるをえなくなったという。明治初期の廃仏毀釈運動は宗教変革の動きではあったが、それまで日本の美術の中核をなしていた仏教美術をもなきものにしようとした。フェノロサらが後に日本の古美術に目を向けるまで、美術の価値観そのものが急激な変革を迫られていたのである。そして西洋の列強諸国に追いつき追い越さないといけないという時代の流れがあり、油彩画が広まり始める。それゆえ日本の伝統美術は多くの人の目に止まらない場所に追いやられたのである。

その点、もともと描かれる内容や描画法が自由だった浮世絵版画は、けっこう柔軟に時代の状況変化に対応しようとしていた。銀座や新橋の煉瓦造りの街並みを描いた浮世絵版画なども時代に合わせて多く制作された。しかし、なぜか時代の覇気を感じさせる作品が少ないのである。そこには、明治以降急速に普及した写真の影響もありそうだ。写真が普及していなかった江戸時代は、ヴィジュアル表現は絵画がすべてだった。明治に入って浮世絵版画は写真と媒体としての力を競う必要が徐々に出てきたと考えられる。

もう一つ着目すべきは、活字媒体の普及だろう。板の上にいわゆる金属活字を1字ずつ埋め込むことで版を作り大量の印刷を可能にする活版印刷は、幕末、西洋から技法を輸入し、明治に入って大いに花開く。それまでは、文字も木版画で印刷していたのは、先に述べた通りである。文字を彫り出すこと自体が驚嘆すべき職人技術だったわけだが、合理的な技術にかなわなくなるのは、やむを得ぬ流れだったのだろう。木版画の技術は利用の機会が奪われざるを得なくなった。先ほど例に挙げた「郵便報知新聞」などはその残滓であったといわざるをえない。それはあくまでも浮世絵版画が「印刷媒体」として扱われていたからだ。

時代に翻弄され、国内では見向きもされなくなった浮世絵版画が、欧米に大量に輸出され、貴重な「美術品」として扱われるようになったのは、極めて皮肉な話である。

明治時代、浮世絵は本当に消滅したのか

2019年秋に、東京の太田記念美術館で、「ラスト・ウキヨエ」と題した展覧会が開かれた。洋画家であり浮世絵の収集家としてその筋では知られている悳俊彦《いさおとしひこ》さんのコレクションの中から、明治以降制作されたものばかりを集めた内容だった。先にあげた月岡芳年や河鍋暁斎などのほか、右田《みぎた》年英《としひで》、中澤《なかざわ》年章《としあき》など、聞き慣れない浮世絵師の名前が数多く並んだ。実際に目の当たりにすると、味わい深い作品も多く、コレクターの感性が滲み出た内容だった。たとえば、右田年英の《年英随筆　羽衣　故寅彦脚本之内》という大正期の1枚。右田は月岡芳年の弟子だという。天に昇る羽衣の姿を描いた「おしゃれな」という形容詞がふさわしい、近代性を感じさせる作品である。

このあたりについては、研究者の間でもあまり調査が進んでいなかったという。そこを掘り起こしたことからは、コレクターの面目躍如たる側面が見えてくる。コレクターはお金を自分で出して美術品を収集するからこそ、自分の好みのみに基づいたマ

ニアックな行動に身を投じるのである。浮世絵は今でも江戸時代のオリジナルが数千円程度の値段から購入可能である。それも扱っているのは美術商ばかりではなく、東京・神田の古書店街などに構えた店舗もけっこう多い。かつて出版物だったことの名残といってもいいだろう。筆者も何度も出かけたことがある。江戸時代のオリジナルについては、額装などしているものもあるものの、光が多く当たると退色しかねないため、在庫品の多くは、専用の引き出しにしまわれており、来訪者はその中からたくさんの浮世絵を自分の手でめくって中身を確認できる。そこには、明治時代に入って制作されたものも結構たくさんある。ただしその多くは、評価としては埋もれていると考えていい。コレクターの悳さんは、おそらくそうした中から、自らの感性にあった良品を選りすぐったのだろう。葛飾北斎や歌川広重に比肩するようなアグレッシブな表現を持つ才能がどれほどいたかということについてはさらなる検証が必要だが、ここでは自らお金を出すコレクターの収集の成果が、美術館で企画展を開かせるほどの威力を持っていたことに敬意を表したい。

《年英随筆　羽衣　故寅彦脚本之内》

浮世絵には構図が大胆なものが多々あるが、月岡芳年の弟子、つまり歌川国芳の孫弟子である右田年英が描いたこの羽衣の図には、江戸時代の浮世絵とはまた違った新鮮な大胆さがある。三保の松原※と見られる場所から太鼓を叩きながら飛び立つ天女の姿は、画面の大きな部分を支配している。まるで、葛飾北斎が描いた富士山から飛び立つ龍を見ているような威厳が感じられ、顔を見ると仏像然としている。宗教性を意識した描写と見てもいいのではないか。一方で西洋的な印象を受けるのは、天女がまとった羽衣が西洋の天使のような羽を備えているからだろう。

年英は浮世絵版画が廃れるのを惜しんで「年英随筆」を出版したという。技法は浮世絵版画（錦絵）だが、2枚1組のシリーズとして計7回出版されたことが確認されているという。「随筆」という名前は特に文章をしたためたことを表すのではなく、気の向くままに絵筆を走らせた

※静岡県静岡市にある景勝地。日本三大松原の一つとされる。

というような意味なのだろう。しかし、そうした気楽な装いとは裏腹に、浮世絵版画の技法を愛でてやまない浮世絵師の末裔としての念のようなものが、この大胆で美しい描写を生み出したのである。

1921年、大判錦絵、太田記念美術館　悳俊彦コレクション

悳俊彦コレクション

COLUMN

版画王国ニッポンの深層

日本は版画王国である。棟方志功《むなかたしこう》や池田満寿夫《いけだますお》、浜口《はまぐち》陽三《ようぞう》など国際的に認められた作家も多い。16世紀頃のドイツの巨匠画家デューラー、近代に入って大きな足跡を残したピカソやムンクなどヨーロッパにも版画を多く制作した作家はいる。だが、版画は彼らにとっての主技法ではなかった。一方、日本は専業の「版画家」を数多く輩出し、現在でも美術分野の主要なジャンルであり続けている。「日本現代版画商協同組合」という版画を扱う美術商が集まった組織もある。

浮世絵版画の流れを汲むとはいえ、木版画のみならず銅版画やリトグラフなどさまざまな技法で活躍している作家がいる。なかにはモノタイプという1枚刷りの版画を手掛ける作家もいる。そして、それぞれの作品をじっくり眺めていると、作家たちが版画という技法にこだわる理由が見えてくる。

筆者がしばしば味わっているのが、版画の肌合いである。十分な解像度を持つ現代の印刷技術は写真などの再現性のレベルを限りなく高めている。だが、それはあくまでも複製としての再現性の話である。版画が持っているのは別の味わいだ。再現できる色数は写真より少なくても、版画は技法ごとに独自の質感を持つ。視覚を通して触覚を刺激されているのではないか。日本の版画家たちはそのことにいち早く気づき、現代になってもその感覚をとても大切にしているように思う。

第3章

時代とともに変わる美術の価値観

時代に翻弄された画家たち

本書は、美術の世界で起きた変化を経済的な視点で見ていくことを本分としている。しかしこの章では、政治に関することを多く書かざるをえない。明治維新ほど美術の世界にドラスティックな変革をもたらした政治現象はなかなかほかに見当たらないからだ。そしてそこには、政治がもたらした美術界の経済的な変化がおおいに関係しているのである。

明治維新直後の日本では、下手をすると植民地にされかねないという、欧米諸国への対抗意識があった。東京の銀座の街にはレンガ造りの洋館が並び、鹿鳴館など西洋文化を受け入れるための施設もできる。一方で、美術の世界では狩野派の障壁画や江戸時代の浮世絵、仏教美術などが省みられなくなる。過去の文化がこれほど簡単に切り捨てられるのも、あるいは日本の本質の一端を物語っているのかもしれない。

雇い主を失った画家

鎌倉時代以来続いていた武家政権が明治維新によって終焉を迎え、近代国家樹立への道を歩み始めるなか、廃藩置県や鉄道の敷設など目まぐるしく政治体制や技術分野の改革が進むことになった。時を同じくして美術の世界でも大きな変化が起きた。御用絵師たちの境遇はその最たるものだった。前章までに述べた通り、御用絵師は幕府や大名家に雇われるサラリーマンだった。つまり明治維新によって起きたのは、雇用主の消失だ。

そもそも幕末の混乱は御用絵師たちの生活を極めて困窮させていた。《悲母観音》（重要文化財、東京藝術大学大学美術館蔵）で有名な狩野芳崖もその一人。幕末に生まれ、長州藩の御用絵師の家で育った芳崖は、御用絵師が職を失った明治のはじめ、江戸に出て仕事を得ようとする。商売も始めたらしいのだが武家の商法よろしくうまくいかず、郷里の山口に戻る。その頃は、二束三文でしか絵が売れず、妻の内職によってようやく生計が立っていたという。

明治維新の西洋化の波にのまれた日本社会で画家としての居場所を失った芳崖だが、今の美術批評の観点で筆者が表現を見れば、すぐれた資質を認めないわけにはいかない。たとえば前述の《悲母観音》の繊細な線による観音像の描写、慈悲の心と愛情をうまく表した母子像のような構図。控えめな色彩ながら、これまでに何度か作品の前に立ったときには毎回息をのんだ。もう一つ挙げておきたいのが、《仁王捉鬼図《におうそっきず》》（口絵5）。2011年度に東京国立近代美術館の所蔵になった作品だ。こちらはあまりにも鮮やかな色彩がまず目に飛び込んでくる。まるで全体を刃物で抉って描いたかのような豪快な構図も特徴的だ。さらには、絵の具を分析すると、一部で西洋の素材が使われていることが近年の調査で判明しているという。芳崖は狩野派の末裔としてただ腕が立ったというだけではなく、進取の気性に富む画家だったことがわかる。にもかかわらず、時代は狩野派の画家だった芳崖を見捨てていたのだ。

絵を「売る」から「教える」へ

明治に入って10年が過ぎた頃、芳崖はアーネスト・フェノロサに見出され、やがて開校する東京美術学校の教授への抜擢が決まる。河鍋暁斎の例と同じく、教授になる前に亡くなってしまったのは、本当に残念なことだった。そもそも絵の描き方を教えることを職業にするのは、画家が生きていくための基本的な方策である。それは街に絵の描き方を教えるカルチャーセンターや絵画教室がある今も変わらない。ただし、東京美術学校で「教授」という職業が生まれたのは重要である。国という極めて公的な雇い主が現れたことを物語るからである。御用絵師の新たな姿と言えようか。

それにしても、絵を売って生きていくというのはなんと難しいことなのだろうとしみじみ思う。それは、今も昔も変わらない。東京藝術大学のような日本の頂点にある美術教育機関でも、美術家として巣立ち、専業の職業として続けていられるのは、たとえば油彩画専攻の一学年で数人程度と聞いたことがある。その中には、おそらく大学の教員などをしながら美術家を続けている例も含まれる。

そうした意味では、画家に雇い主がいるような状況はおそらく例外なのである。一方で絵を描くことを学びたい者は、いつの世の中にも結構いるのだろう。そこに絵を描くことを教えるというニーズが生まれる。御用絵師も画塾も美術大学も街の絵画教室も、さらには画壇というものさえも、すべてがその原則の上に成り立っている。

《仁王捉鬼図》

狩野芳崖は現在の山口県出身の画家。江戸幕府の御用絵師だった狩野派の末裔だが、作風を見ると手本を大事にした狩野派の粉本主義《ふんぽんしゅぎ》※とは真逆ともいえそうなほどの個性がほとばしり出ているのが印象的だ。明らかに自己表出をモットーとする近代的な画家としての姿勢が見えるのである。この作品はその最たるものだろう。刃物でざっくりとえぐったかのような構図は激しさを想像させ、色使いはサイケデリックという形容さえできそうなほど派手である。

しかし、狩野派として修業はきちんとしていたようだ。現在の東京藝術大学の所蔵品の中に、室町時代の画家、雪村の作と伝えられる《竹虎図》という1枚があるのだが、あるとき骨董店でこの作品を見た芳崖は、その絵の素晴らしさに感嘆して家に戻ってその絵を思い出しながら描き、その印象を十分に伝える写しを完成させた。こうして記憶によっ

※御用絵師として品質を均一に保つために、手本を尊重して描く考え方。

て見た絵を描くのも、狩野派の修業法の一つだという。筆者もその写しと元の絵の写真を見比べたことがあるが、見分けがつかないほどとは言わないまでも、竹の細部や虎の縞模様の雰囲気などについて相当な程度の再現をしていたことに舌を巻いた。

個性的なだけに好みは分かれるかもしれないが、芳崖のような画家の存在は、間違いなく明治画壇を豊かにしている。

紙本彩色、123・8×64センチ、東京国立近代美術館蔵
Photo: MOMAT / DNPartcom

浮世絵はなぜ海外に流出したのか？

それにしても、江戸時代の終わり頃に歌川広重や葛飾北斎などの活躍によってあれほどの隆盛ぶりを見た浮世絵版画（錦絵）が明治に入って見る影もなく大量に海外に流出したのは、やはりショッキングである。

浮世絵版画を手にした江戸の庶民たちは、たとえば皇室や大名の家にあったような襖絵に囲まれて育っているわけでもなく、普通にこれが（版画ではなく）絵画だと思って暮らしていたことが想像できる。近代に入ると「複製芸術」は1点もののオリジナルに劣るのではないかなどと言われ始めるのだが、江戸の庶民にとっては同じものが2枚3枚あったとしても、その素晴らしさが減じるような価値観を持つにはいたらなかっただろう。そう考えれば、浮世絵版画は江戸時代の人々にとって、意識をしなかったにもかかわらず、いわゆる「美術」として存在していたのではなかろうか。

「物」として存在感がある印刷物

保存状態のいい浮世絵を間近で見ればすぐにわかることだが、浮世絵が江戸時代の印刷物だったとしても、その美しさは現代の印刷物をはるかに凌駕する水準のものであった。現代の印刷物であれば、ぱっと見てそれが印刷物であることがはっきりわかる。しかし木版画技術を利用した浮世絵は、質感が違う。インクの盛りに立体感があることが大きいのかもしれない。なかには、筆で描いた絵画と見間違える人もいるかもしれない。そこには現代でいう〝ヴァーチャル感〟がなく、筆で描いたような、強い物質感があるのである。今でこそ電子書籍との比較で、紙の書籍の物質感に目が向くことは多い。しかし、一般の雑誌やポスターの印刷は、やはり複製であることが一目瞭然だ。浮世絵版画には、「物」としての存在感が強く浮き出ている。

欧州で「救われた」浮世絵

さてそんなに素晴らしい「美術」だった浮世絵版画が、明治維新を境に単なる紙くずのように扱われるようになってしまう。もっとも、浮世絵版画は制作された当時はあくまでも「出版物」であり、北斎や広重など江戸の絵師が手掛けたものについても、明治になると新鮮味が薄れて、大半が読まれた後に捨てられてしまう現代の雑誌と同じような扱いを受けたと思えばいいだろう。今の時代は浮世絵版画を額縁に入れて大切に飾る人もいる（ただし、浮世絵版画は光に弱く退色しやすいので、掛けっぱなしにしておくことは推奨できない）。江戸時代は軸装などもせず、それこそ雑誌のように手に持って楽しむのが一般的なあり方だったという。それゆえ一通り楽しんだら多くは捨てられた。現在でも江戸時代の浮世絵版画が多く残っているのは、「出版物」だったゆえ、もともとの制作数が多かったというのも大きな理由だ。

欧州にはじめて渡った浮世絵版画が、輸出された陶磁器の詰め物だったというのは有名な話だ。それをきっかけに欧州で収集家や美術家をはじめとする多くの人々が、浮世絵版画という未知の宝物を認識することになった。捨てる神あれば拾う神ありというが、明治以降欧州に流出した浮世絵版画は数十万枚と言われる。ここで使った「流出」という言葉は、否定的な響きを内在している。だが、実際に欧州で浮世絵版画を「拾った」人々は、「神」は言い過ぎにしても、「救世主」だったとは言える。明治維新直後、江戸時代に制作された浮世絵版画はまさに十把一絡げ状態、二束三文で束にして売られたという。やがて、フランスと日本を行き来しながら画商として活躍する林忠正などが、海外で積極的に売り始める。

美術品の価値は芸術性のみにある

こんなことを言うと怒る人もいるかもしれないが、考えてみると、美術品というのはすべて簡単に捨てられうる「ゴミ」のような側面を持っているのかもしれない。通常、美術品には機能がない。これがたとえば自動車であれば、見た目の美しさなどのデザインはあくまでも付加価値ゆえ、人や荷物を載せて動く機能を失っていない限りは完全なゴミにはなりにくい。しかし、美術品の純粋な価値は芸術性のみにある。その価値を認められない人にとっては無用の長物だ。近年はいかに家の中で無駄なものをなくすかといった実用的な方法を説く書籍などが流行っているが、美術品は「物」であるだけに、場所を取ってしまう。価値を見出だせない人にとっては、捨てるべき

「ゴミ」になってしまうのである。そして明治期のヨーロッパでは、日本で「ゴミ」だったものが宝物になったのだから、ものを見定める価値観のあり方の違いというのは実に興味深い。現代の社会では常にゴミが問題になっている。そしてさまざまのゴミには宝物になる可能性があるということをも示唆する。

浮世絵師たちを救った「新聞」

さて、明治に入っても現役の浮世絵師たちは、社会の変化に応じて出版物としての浮世絵版画のニーズを図った活動をしていた。たとえば東京の銀座界隈に立ち並んだ洋館や、開通したばかりの鉄道を走る蒸気機関車を題材にした。前述したように幕末の浮世絵師、歌川国芳には弟子が80人おり、その中には、社会の変化に合わせて自分たちが身につけた技術を生かそうと、したたかに生き方を探った絵師たちもいた。江戸時代初期に刊行が始まった「錦絵新聞」と呼ばれる媒体が、そんな彼らの活躍の場となった。

「報道写真」としての浮世絵

江戸時代の浮世絵が依拠していた木版画には、元々報道的な側面もあった。たとえば幕末に起きた安政の大地震をまるで報道写真のような絵とたくさんの文字で綴り、その悲惨さを広く知らしめた瓦版がその例である。写真が普及していなかった時代には、闇の報道媒体として大きな威力を持って世の中に受け入れられていたことが想像できる。幕府から発行が再三禁止されたのは、訴求力があったことの裏返しとも推測できる。

もちろん、明治に入って報道の必要性がなくなるわけはない。そもそも日本が追いかけざるを得なくなっていた西洋にも、新聞という媒体があった。しかし少なくとも報道媒体に関しては、あえて輸入するまでもなく、従来の印刷技術を使って発行することが可能だったわけだ。そこで登場した「錦絵新聞」は、今の時代に見てもなかなか興味深い仕様なのである。

「錦絵新聞」の発行のきっかけとなったのは、西洋の新聞文化の影響下で明治初期に創刊された『東京日日新聞』の記事の一部に、絵入りで解説をつけた別刷りの媒体が出たことによるとされる。発行者の一人だった落合芳幾は、本書でも何度か登場した幕末の浮世絵師、歌川国芳の弟子だった。現代の雑誌の巻頭にしばしば写真を大きく使った記事が存在するように、絵を大きく扱った媒体を出そうというのは、自然な発想だったに違いない。続いて登場した錦絵新聞の『郵便報知新聞』はもともと同名の新聞の一部の記事をもとに制作されたものだが、やはり歌川国芳の弟子だった月岡芳年が、多くの作画を担当している。通常の新聞では文字が主体なのに対し、錦絵新聞は絵が主体である。昭和後期に一世を風靡した『フォーカス』や『フライデー』などの写真週刊誌とコンセプトが似ている。

実際に載っている記事も、写真週刊誌に似ていて、いわゆるゴシップネタ満載の媒体だった。たとえば、1875年頃発行された『郵便報知新聞』第621号で月岡芳年は、ある女性を乗せた人力車夫が頭を抱えた図柄を大きく載せている。それは、山形県のある家から家出をした夫を探すために東京に出てきた妻がたまたま乗った人力車の車夫がその夫だったという「事件」を報じたニュースだったのだ。報道としてはいかばかりの価値もない記事だったといえるが、おそらく当時の人々は、今のテレビのワイドショーでも見るかのように好奇心満々に目にしていたに違いないのである。芳年はこうした媒体に多くの流血事件を題材にした絵を描いた。それらは「血みどろ絵」として現代に名を残す。芳年にはその印象がついて回り、残虐な場面を描くのが得意な画家として知る人も多い。筆者もはじめて芳年を知ったのは、逆さ吊りの妊婦を描いた浮世絵だった。おかげで筆者の脳裏には強く刻まれることになったわけだが、近年東京の練馬区立美術館で開かれた「月岡芳年」展で生涯の作品を見渡すまでは芳年の全体像をしっかり把握していなかったことを正直に告白しておく。同展では、その多様な作品と才能が明らかになり、いわゆる「血みどろ絵」は、実績のごく一部にしか過ぎないということがよくわかった。

ちなみに、本書を執筆中のこと、ネットオークションに『郵便報知新聞』第５００号（１８７６年）が出品されていたので、試しに入札したところ、最初の入札価格の１０００円でそのまま落札することができた。作画を担当したのは、日本画家・浮世絵師の小林《こばやし》永濯《えいたく》。狩野派の門人から浮世絵の世界に身を転じた画家だ。この「新聞」が報じているのは、教育機関のスタッフと見られる人物が子どもを勧誘している街角風景。比較的温和な内容の記事だが、実際に入手して間近で見ると、巨人のように描かれた勧誘スタッフと興味を持って接する親子の様子がほほえましく、丁寧な作り込みと木版画の肌合いには単なる「印刷物」を超えた芸術品としての魅力を感じた。明治時代初期のものにもかかわらず極めて廉価に落札できたのは、破れがあるなどの保存状態の悪さと、絵師がさほど有名ではないことなどによるものと考えていい。

技術だけでは生計を立てられない

『團團珍聞《まるまるちんぶん》』という媒体についてもあげておきたい。こちらは風刺の成分をたっぷりと含んだジャーナリズム系の雑誌だったようだ。創刊は1877年（明治10年）。最後の浮世絵師の例で挙げた小林清親が、挿絵を担当している。たとえば1885年9月5日号に掲載された清親の挿絵《眼を廻す器械》について、デザイナーの柏大輔氏が執筆した博士論文「イラストレーションにおける〈異型〉のイメージ作りのための方法試論」によると、「山積みの書類を扱う職務に従事する地方行政官が、仕事のあまりの忙しさを上官に訴えている状況がわかる」絵だという。注目すべきは、「光線画」で新たな表現を切り開いた小林清親とはまったく異なる、風刺画家としての側面が現れていることである。はっきり言って、光線画とこの風刺画が同じ画家の手によるものだとは、言われなければ絶対にわからない。それが小林清親という画家の作風の多彩さや器用さの表れであることは間違いない。だがそれ以上に、この時代に浮世絵師が生きていくことがいかに難しいかを物語っているとは言えまいか。

《郵便報知新聞（第621号）》

『郵便報知新聞』は錦絵新聞の代表的な存在の一つ。錦絵新聞を先導したのは月岡芳年と同じ歌川国芳の弟子、落合芳幾が作画を手がけた『東京日々新聞』だった。そもそも国芳が美術史上でクローズアップされたのはここ数十年のことで、葛飾北斎や歌川広重らに比べるとずいぶん評価が遅れていた。国芳は武者絵や猫絵を得意としていたが、風刺画も盛んに描いた。権力者を揶揄したり、幕府に禁止された役者絵をわざわざ落書き風に描いて幕府を批判したり。そこには「新聞」という媒体の根底にあるべき批評精神があった。錦絵新聞で活躍した弟子たちは、まさに師匠のその部分の遺伝子を受け継いでいた。

　錦絵新聞の中で『郵便報知新聞』が存在感を放った理由としては芳年の画力が担う部分が大きかったことが推測される。そもそもは1872年に『郵便報知新聞』という同名の新聞を前島密《まえじまひそか》※らが創刊し、一部の記

※1835年～1919年。近代郵便制度の創設者。「郵便制度の父」と呼ばれる。

事の別刷り版のようにして錦絵新聞版が発行されていた。しかしそこに江戸時代の浮世絵の残滓があるのは明らかだ。明治に入って浮世絵師たちは食い扶持を探す必要があり、もともと自由に描く世界に生きていた彼らにとっては、試行の場として機能する。描く内容がゴシップ紙的な方面に流れたのは「版元」の意志でもあり、それも江戸の名残りともいえる。おかげで芳年は「血みどろ絵」の画家として後世に知られることになったが、その点を緒に研究が進み、近年は秀逸な画家としての全容が浮かび上がりつつある。

1874年頃、大判錦絵

画像：人間文化研究機構国文学研究資料館

洋画家たちはどう生きていたのか？

ここまでは襖絵などの障壁画や浮世絵など日本の伝統絵画の話だった。しかし現在では日本でもむしろ油彩画などの西洋の技法による絵画の方が一般的だ。油彩画の技法が日本の画家の間で広まったのは、もちろん明治維新以降である。ただし鎖国下の日本においても、オランダなどとの貿易を通じて少しずつではあるが西洋の絵画技法の存在は興味のある人々の知るところになっていた。

日本における油彩画の礎を築いた画家たち

18世紀から19世紀のはじめにかけて活躍した画家の司馬江漢《しばこうかん》は、銅版画や油絵を制作した。教材になったのはいわゆる蘭学、すなわちオランダの学問を通じて得た資料類である。精神的にその方向性を引き継いだのが、幕末の画家、高橋由一《たかはしゆいち》だった。由一はたくさんの油絵を描いているが、その中の1枚に司馬江漢の横顔がある。おそらくは司馬江漢が日本の油絵の祖だったと認識していたのではなかろうか。この二人が実際に出会うことはなかったのだが、こうして肖像画を描いているということ自体が、油彩画の歴史をつなぐ史実と捉えられ、大変興味深い。

そしてその由一は、紛れもなく日本で油絵を本格的に広めた人物である。もともとは西洋の銅版画を見て、表現の巧みさに大きな興味を持ったのが西洋画に手を染めたきっかけという。花魁を描いたり、甲冑を描いたり、豆腐のような食物を描いたり。新たな技術を学んだ由一は、本当にさまざまな対象を描くことによって、できうるかぎりの表現の可能性を試したのだろう。花魁を描いた絵では、あまりにもリアルに描きすぎたために、モデルになった女性は半ば泣いてしまったという。肖像画を制作するときは描かれた本人が喜ぶような理想化が必要だということを、おそらくは気に留めていなかったのだろう。

筆者は、由一が描いた豆腐の絵が大好きだ。まずこのモチーフを描こうと思ったこと自体に、大きな共感を覚える。もしこの時代に目の前でこの作品を売っていたならば、きっと買っていた。リアルに描こうという意思が、美味しさとしてにじみ出ており、食欲の一部を満たしてくれるようにさえ感じられるのだ。

新奇な目で見られた油画

しかし由一が油絵を描いていた明治初期は、そもそも一般の人々には油絵の存在など知られてもいなかった。まず、油彩画を売っている店などはなかった。それは、油絵の具で描かれた絵を見たことのある人が、ほとんどいなかったことをも物語る。一方、珍しい物は見世物になりうる。そして、油彩画は本当に「見世物」になったようだ。このあたりの事情の検証は、木下直之氏の著書『美術という見世物　油絵茶屋の時代』に詳しい。神社の境内などで油絵を見せることが興行として明治初期に行われていたというのである。それは美術館で展覧会を開くのと同じではないのかと思うかもしれないが、決定的な違いがある。収蔵・展示された美術を権威付ける美術館という建築物の中で見せるわけではないことである。「見世物」は、珍奇なものに対する人々の好奇心をあおる興行である。当時の油彩画は、どちらかというと、お化け屋敷の中で見られるろくろ首などのお化けのようなものに近い存在だったのだ。

「芸術」や「美術」という概念は、先に述べた通り、明治時代に入って西洋から輸入されたものだった。建物や服装、蒸気機関車などの西洋からの輸入物は明治のはじめから急速に普及していったとはいえ、輸入した概念の普及には少々時間がかかる。そもそも本格的に西洋の絵画に関する情報が日本に入ってくるのは、大正時代の文芸誌『白樺』で紹介されてからである。ルノワールやモネなどの印象派は、まさに明治時代に西洋で起きた芸術運動だったが、テレビもインターネットもない時代にリアルタイムでそうしたことが伝わることは、残念ながらなかった。梅原龍三郎《うめはらりゅうざぶろう》や安井曾《やすいそう》太郎《たろう》が西洋で絵の勉強をしてその成果を日本にもたらすのは、もっとずっと後のことだった。そうした状況のなかで「見世物」という形で油絵が人々の目に触れたのは、極めて感慨深いことだ。「見世物」ゆえに、興行主はお代を取りそれを利益とした。形としては現代の展覧会と同じである。あるいはひょっとしたら、現代の展覧会も一種の「見世物」として機能していると見ることもできる。そもそも「見世物」という言葉は少々下品な響きを含む。だから、美術という高尚に見られるものに対して、抵抗を感じるだけなのかもしれない。

　幕末から明治初期にかけて油絵の普及に貢献した親子が横浜にいた。五姓田芳柳《ごせだほうりゅう》・義松《よしまつ》である。芳柳の「芳」は、あの歌川国芳の名から取ったもの。芳柳は国芳の弟子だったのだ。しかし芳柳は油絵に魅せられて江戸から横浜に移り住み、英国から来日していた画家のチャールズ・ワーグマンに息子の義松を入門させた。ちなみに、高橋由一もワーグマンのもとで学んでいる。

結局芳柳は日本の画材で西洋風の絵を描くに留まるが、息子の義松は本格的に油絵を描いた。そして寺社の境内などで開かれた見世物興行に絵を親子でしばしば出している。前出の『美術という見世物』によると1874年の夏には両国回向院で釈迦如来の開帳に併せて開かれた〝見世物〟の中に彼らの油絵が出ており、1日の「上り高」は32円30銭に及んだという。「上り」は見世物ゆえ鑑賞料ということになる。この頃はかけそば1杯が5厘から1銭。入場料金は詳らかではないが、仮に一人1銭だったとすると、1日で3230人もの人が見に訪れたことになる。回向院の見世物としてはほかに瀬戸物細工や貝細工、生人形など美術品あるいは工芸品に分類できるものが多く出ており、五姓田親子の絵画はその一部だった。

特に息子の義松が描いた油絵の実物を筆者が展覧会で見たときには、描写の巧みさに目を見開かされた。明治初期に「見世物」を見に出かけた人々が、その絵を見たときの驚きはいかばかりのものだったのだろうかと、しみじみ思う。

日本の美術界を支える柱の一つになる東京美術学校の創立は1887年(明治20年)だが、2年後の開校当初は日本画や彫刻の学科ができたにとどまり、油彩画の学科はなかった。明治初期の反動で国粋主義が美術界を席巻し、油彩画が重視されなくなっていたからだ。西洋画科ができて油彩の技法を教え始めたのはようやく1896年のことだった。1889年には浅井忠《あさいちゅう》らによって明治美術会という洋風画を描く画家を集めた団体が設立されるなどの動きはあったものの、その頃の油彩画は、少なくとも国からは認知されていない、実にもやもやした存在だったことが推測できる。

高橋由一

《豆腐》

高橋由一は経営していた画塾「天絵舎」を拡張する資金を得るために、香川県の金刀比羅宮に35点の油彩画を奉納して200円の資金を得たという。本図はその中の1枚。明治初期に画塾を経営していたという事実と、金刀比羅宮※という存在感の大きい神社から支援を受けられる関係を持っていた事実は、当時の画家の生き方を見ていくうえで大変興味深い。かけそば1杯50銭〜1円の時代に油彩画35点で200円というのは、《鮭》（1875〜79年、東京藝術大学蔵）のように重要文化財にもなっている作品を描いた由一の作品の今の価値を考えると、かなり割安のように思えるが、大神社に自分の作品を奉納して資金を受け取ることができただけでも、意義のあることだったに違いない。金刀比羅宮にとってもかけがえのない宝物が納められたことになる。

静物画を得意とした由一は、このほかにも日本の鎧兜などの武具を細

※香川県仲多度郡琴平町にある神社。歌川広重の《東海道五十三次 沼津》で天狗の面を背負うのは金刀比羅（金毘羅）の信仰を広める行者といわれる。

1876〜77年、32・5×45・3センチ、油彩

金刀比羅宮　所蔵

密に描いた靖国神社蔵の《甲冑図（武具配列図）》（1877年）などの優品を残している。日本の食材である豆腐や日本の武具を描いたこと自体に、西洋の絵の具で日本を表現したいという由一の大いなる気概が表れている。木綿豆腐と焼き豆腐と油揚げという豆腐3態を1枚の絵で描く発想自体にも、油絵の具で一つのテーマをとことん描き出してやろうという執念が感じられる。買えるものならぜひ買って、自宅に飾っておきたい作品である。

新たな役割が生まれた日本のアート

現代においては、アートとデザインは別分野ということになっている。どちらもクリエイティブ。ただしデザインの場合は、たいてい注文主がいる。何か売りたい商品があって、その見栄えをよくしたり、広告のためのポスターを作ったり、雑誌の記事を彩るためのイラストを描いたりというのがデザイン分野のクリエイターの役割。その制作に対して報酬が支払われる。一方、自発的な表現を追求するのがアーティストだ。19世紀のフランスに例を見るなら、売れるかどうかを二の次にして自らの表現をひたすら追い求めたゴッホの絵はアート、ジュール・シェレがキャバレーの広告で描いた絵はイラストすなわちデザイン分野の産物ということになる。

注文主の存在

ただし、画家が注文で描く事例は歴史的にも多く、注文主がいるかどうかでアートとデザインをはっきり分けることには無理がある。ミケランジェロがヴァチカンのシスティーナ礼拝堂の天井画や壁画を描いたのは、ときのローマ教皇、ユリウス2世の注文があったからだ。それでも、これらの作品をデザインと捉える人はおそらくいないだろう。ミケランジェロの場合は作家が自由に描いたとはいえるだろうが、後に裸体の下半身部分に腰布が別の画家の筆によって描き加えられるなど、絵の内容が改変されるケースもある。「腰布事件」とも呼ぶべきこの事例は、現代の尺度では作家の表現の自由にかかわる問題である。しかし、「芸術家」の存在が確立していなかった時代の教会の壁画である以上は、芸術的発露とは異なる教会の規範などの要因がものをいってもやむをえないという側面がある。それは、注文主が倫理規範に照らして広告ポスターなどの表現を規制するのとそれほど大きな違いがあることとも思えない。

調度品から実用品へ

日本では、もともとデザインとアートの区分けはなかった。そもそも襖絵や屏風絵が一般的な絵画の形式だったのが、日本美術の世界だ。これらはいわゆる調度品である。ヨーロッパ的な考え方で見れば、デザインの分野に押し込められるものだった。しかし日本では、そこに百花繚乱とも言うべき「美術」の世界が花開いたのである。江戸時代の狩野派の絵師たちの活躍の場も、ほとんどがそうしたところであった。

明治時代に入って、一部の画家たちが積極的に書籍の装丁や挿絵の世界に参入した背景には、そうした事情もあるように思う。たとえば洋画家の小出楢重《こいでならしげ》は、谷崎潤一郎の『蓼喰ふ蟲』などの装丁を手がけている。狩野派の画家に師事した後、油彩画などの技法も学び、木版画に新境地を開拓した橋口五葉《はしぐちごよう》は、『吾輩は猫である』などの夏目漱石の書籍の装丁で知られる。明治時代以降の書籍は、江戸時代までとは違って和綴じではなく洋書の装丁が主流になった。しかしその装丁を今眺め直しても、水準の高さには目を見張るものがある。むしろ現代の、コストをあまりかけなくなった装丁に比べると、明治や大正のものにはまるで手工品かと思えるほどの味わいがある。手に取って慈しみたくなるような愛着のわくオブジェに仕上がっているものが多いのである。小村雪岱など挿絵の制作に能力を発揮した画家もいた。その伝統の延長にあるのだろうか。日本では、現代の新聞でも、普段は画家として活躍している第一線の作家たちが、連載小説の挿絵を担当するのが日常的だ。これが、日本の歴史が育んだ文化であるなら、それはまた素晴らしいことだ。

アートとデザインはどう違うのか?

現代に目を向ければ、村上隆がルイ・ヴィトンとコラボレーションをしたり、草間彌生の代表的なモチーフである水玉模様を施した車が街中を走ったりと、美術すなわちアートとデザインの世界を近づける試みがずいぶん増えてきた。美術館の展覧会を見に行くと、美術作品のモチーフなどをあしらったTシャツ、マグカップやお菓子類など実に多くのグッズが販売されている光景を目にする。少し前に東京の森アーツセンターギャラリーで開催された「新北斎展」の出口ショップで入手した小さなぬいぐるみタイプのキーホルダーは、何と《北斎漫画》に出てくる変顔を立体化した商品。筆者はいつも携行しているリュックにつけているので、しばしば「それ何ですか?」と聞かれ、「北斎なんですよ!」というと、必ずびっくりされる。葛飾北斎もまさかこんな商品にされるとは思ってもいなかっただろう。それほどに、美術とデザインは親和性が高いことを、北斎のおかげで、肌で感じている。

創作はお金を生み、お金は創作を生む

そもそもアートとデザインはそんなに違うのかと思っている人も多いだろう。大雑把に言えば、作品そのものを鑑賞するべく制作されたのが美術であり、車やスマホなど本来それぞれに用途を持っている物に美しさなどをあしらったのがデザインと分けて考えることができる。しかし、江戸時代にはデザインの精華とも言うべき屏風や襖絵が現在は美術館で楽しむ「美術品」として扱われていることからもわかるように、両者の区分けはそれほど厳密ではないし、時代や人々の見方によって変わる。こだわって区分けするほどの意義はないのかもしれない。岡本太郎の《太陽の塔》だって、巨大な彫刻と見れば美術作品だし、大阪万博のパヴィリオンとして見ればデザイン分野に区分けされる建築物である。

この本を執筆している時期に東京都現代美術館では「ミナ ペルホネン／皆川明つづく」と題した企画展が開かれていた。ファッションデザイナーの皆川明の仕事を

顕彰する内容だ。近年はファッションを中心にデザインの展覧会が急増している。多くの人に身近な分野の展覧会を開くことで来場者数を増やすという目的もあるのだろうが、そもそもクリエイティビティという視点ではアートとデザインの間に明確な垣根がないことをも物語っている。

自分でアートを生み出してお金にする人は美術家であり、北斎のキーホルダーのようにそのアートをもとにデザインをして別な市場で利益を上げる人もいる。だからといって後者が盗人のような存在なのかといえば、そんなことはない。そもそも美術家だって、先人の模倣をたくさんして勉強したり、社会に広く題材を取ったりして、そこから独自の表現がにじみ出てそれが個性になるものである。北斎の例であれば、「琉球八景」という興味深いタイトルのシリーズがある。実は北斎は沖縄には渡ったことがなく、ほかの絵師がモノクロで描いていた図版を参考に、想像で沖縄の様子を描いたものだ。あろうことか、雪が降っている風景まである。浮世絵版画が江戸時代の出版物だったことは先述したが、アートであることやデザインであることにこだわりなくさまざまな表現が模索されるなかで、多様な創造性が花開き、大きな市場を作っていたことは、実に興味深い。

COLUMN

音楽と美術は同根

音楽は時間芸術であり、美術は空間芸術である。どちらも人間の創造性の発露でありながら、相容れない表現形態であることは間違いない。しかし、根の部分を探ってみると意外と通じた要素や性質が見つかる。その例を一つ挙げておこう。

20世紀前半にスイスとドイツで活躍した画家、パウル・クレーは、非常に腕が立つヴァイオリニストでもあった。7歳でヴァイオリンの手ほどきを受け、11歳のときには早くも地元ベルンのプロオーケストラに出演していたという。画家を目指したのはその後だった。1920年代から30年代前半にかけてクレーは「バウハウス」というドイツの建築と美術の総合学校で教鞭を執るのだが、そのときの講義ノートとされる『造形思考』という資料を見て驚くのは、まるで音楽のことを教えようとしているようにしか思えないことである。たとえばオーケストラの指揮者の棒の動きが図示されている。考えてみると、指揮者はヴィジュアルだけでオーケストラの奏者たちに自分が実現しようとしている音楽の内容を表現しなければならない。音の強弱、激しさややさしさ、鋭さやまろやかさ、きらめきや落ち着きなどを、すぐれた指揮者は確かに指揮棒や体の動きだけで表現している。クレーはおそらく自分の楽器奏者としての経験から得た感覚を絵画のうえで生かそうとした。そして色の調和によってハーモニーを表現したり、線によって時間的な動きを表現したりと音楽を絵画化したのだ。

第4章

パトロンとしての美術館

美術館は権力者なき現代のパトロンなのか？

現代の日本は、パトロン不在と言われる。貧富の差が大きく、為政者が搾取をするような状況がなくなってきたことの表れでもある。一方、それは芸術家にとっては必ずしもよい状況になったとは言いがたい側面もある。すべてではないにしても、芸術には権力者や富裕層の庇護のもとで育ってきた歴史が少なからずあったからだ。多くの美術品を収集した室町幕府の足利将軍家や、御用絵師を雇用した徳川幕府はそれを象徴する例だ。

そうした圧倒的な権力者がいなくなった日本で、「現代のパトロン」と言われることがあるのが美術館であり、美術館の基本的な役割の一つが美術品の収集である。しかも美術館は権威としても機能しているので、王侯貴族が作品を所有するような効果も期待できないわけではない。乱立気味とも言われるほど公立美術館が増えているなかで、美術館はどのくらい「パトロン」としての役割を果たしているのだろうか。

美術館は〝金持ち〟なのか？

描かれて500年以上も経つレオナルド・ダ・ヴィンチの油彩画《サルバトール・ムンディ》が500億円を超えた価格で落札されるなど、世界のオークションで美術品が高値で取引されている様子を見ると、美術品には数世紀の所有に耐える資産価値があることがわかる。もちろん、その辺の子どもや筆者が描くような素人の絵には値段がつかないから、限られた作品にしか資産価値がないことの想像もつく。それにしても、印象派の作品など大きな資産価値がある美術品を持っている美術館は、欧米から見れば極東に位置する日本にどのくらいあるのだろうか。たとえばモネやルノワールなら東京の国立西洋美術館や神奈川県箱根町のポーラ美術館、ピカソなら箱根彫刻の森美術館に行けば概ねいつでも見ることができる。東京国立近代美術館は日本の近代美術が収集の核だが、つい数年前にセザンヌを20億円で買った。そこまで有名な美術家のものではなくても、そもそも美術館が集めている作品は、学芸員らの研ぎ澄まされた目で選ばれた芸術性の高い作品がほとんどのはず。であれば、それらに資産価値があると考えるのは自然だろう。さらに想像をふくらませると、「美術館というのはひょっとすると相当な金持ちなのではないか」という疑問が湧いてくる。

この問いに対して「そうだ。金持ちだ」という答えは、半分は正解、半分は不正解である。まず不正解ということについて考える。仮にモネやルノワールなど資産価値の高い美術品をたくさん持っていたとしても、美術館がそれらを売りに出すことが原則的にはないからだ。美術品には株式のように配当があるわけではない。土地のように貸して安定収入としての地代を取ったりコインパーキングを開設して売り上げを得ることもない。

ただし、美術館の所蔵品を売買する例がまったくないかというと、そういうわけでもない。稀有ながらも存在はする。まず挙げたいのは、千葉県佐倉市にあるDIC川村記念美術館が、収蔵していたバーネット・ニューマンの《アンナの光》という作品を2013年に103億円という高値で海外の企業に売却したことである。実は筆者はこの作品が大好きで、同館に企画展などの鑑賞に出かけた際には、専用の部屋のなかに常設展示されていたこの作品を鑑賞する時間を必ず作っていた。戦後米国の抽象表現主義を代表する作品の一つなのだが、そんなことを考える前にまず作品の前に立つことにかけがえのない喜びを感じていたのだ。《アンナの光》は2つの色面からなる抽象絵画で、ほとんどの部分は明るい朱一色で描かれている。幅7・1メートル、高さ2・3メートルの大作で、「アンナ」というのは画家の母親の名前だ。作品の前に立つと、筆者は全身が暖かな色に包み込まれるような気持ちになり、訪れたときにはいつもしばらくの間、離れられずにいた。佇んでいると心が明るくなり、活力が湧いてきた。タイトルに母親の名前を入れた理由も、神を思わせる「光」という言葉を使った理由もよくわかる作品だった。あるいは、母の胎内から外界に出て光を浴びたときの赤ん坊の気分はこんな感じだったのだろうか。具体的なものは何も描かれていないのにそんな感情を起こさせる美術の力にも感心した。その作品が、海外に売られてしまった。作品所有者は、美術館名の頭についているDICという企業だった。現在の企業名は、以前社名としていた大日本インキ化学工業を英文にした際の頭文字による省略形と見られる。購入当時の金額はわからない。だが、売却の成立は、《アンナの光》が同社の資産として存在していたことを物語る。この作品のファンとしては、売却はとにかく悲しい出来事でしかなく、知った当時は虚しさだけがその時に自分の胸の中を占めていた。しかし、作品が会社の資産だった以上、判断によっては仕方のない運用だったともいえる。寂しさはいっこうに収まらないけれども、今はいつの日かこの作品と再会できることを心から祈っている。

美術館の予算はいくら？

大阪市の国立国際美術館は2018年度に、スイスの彫刻家、アルベルト・ジャコメッティの《ヤナイハラI》を、約16億5000万円で購入した。著名な作家の作品であることに加えて、日本の哲学者、矢内原伊作をモデルにした作品ゆえ、日本の美術館が所蔵する意義は大きい。一方、年間予算がゼロから数千万円程度というところが多い地方の公立美術館から見れば、これほどの金額を一つの作品に投じることができるのはうらやましいに違いない。原則として収蔵品を持たない国立新美術館を除く国立美術館4館（東京国立近代美術館、京都国立近代美術館、国立西洋美術館、国立国際美術館）の同年度の購入は点数にして303点、金額の合計は約40億円に及んだ。それははたして、ぜいたくな予算というべきなのだろうか。答えは否。歴史から見てもわかるように、作品を収蔵するのは美術館の基本的な所作ともいえる。コレクションによって、美術館の個性も形成される。「あの作品を見たいからここに行く」という鑑賞者の動きも生まれる。たとえば東京国立近代美術館では日本の近現代の歴史を彩る作品が、京都国立近代美術館では京都を中心にした近代画家の作品が、国立西洋美術館に行けばジョルジュ・ドゥ・ラトゥールやモネ、ルノワールら西洋美術の秀作が、国立国際美術館に行けば白髪一雄など現代美術の名品が見られる。美術館という箱は作ったものの収蔵予算がつかないというほうがおかしいのだ。近年、海外の一つの有名美術館からごっそりコレクションを借りてきて大量動員を狙う「ブロックバスター展」が目立つようになったのは、その裏返しの現象の一端と見ていい。

逆に美術館には、コレクションを増やすことを宿命としていることゆえの悩みもある。収蔵スペースの問題だ。多くの美術館には収蔵庫がある。当然だが広さには限りがある。2018年度の収納率を国立美術館で見ると、東京国立近代美術館本館では約160%、京都国立近代美術館が約185%など、もともとの収蔵庫には入りきれなくなっている例がある。各館は外部倉庫を借りるなどの方策を取っている。作品の死蔵とも合わせて今後対処すべき問題だろう。

建築費用捻出のために所蔵品を売った美術館

美術館が建築の補修や建て替え費用の捻出のために、所蔵品を売却した例もある。

2009年に敷地内に展示棟を新築した根津美術館は、その代表的な例だ。同館は、東武鉄道の創業者である初代根津嘉一郎のコレクションを核に1941年に開館した美術館である。尾形光琳の《燕子花図屏風《かきつばたずびょうぶ》》をはじめ日本や中国の古美術の名品を数多く所蔵している。また、東京メトロの表参道駅から徒歩圏という至便な立地にありながらも豊かな緑を持つ庭園が非常に魅力的な美術館であることでも知られる。毎年5月頃には《燕子花図屏風》の公開と同時に、庭園でも実際にカキツバタの花が咲き誇る。来館した人々はその両方を楽しむのである。しかし、たいていの建物はいつしか老朽化し、場合によっては建て替えの必要が生じる。根津美術館は戦災による焼失などを経て、現在の展示棟は3代目となる。ちなみにこの展示棟の設計を担当したのは、このほど完成した新国立競技場などで知られる建築家の隈研吾だった。

さて、増築や建て替えにあたっては巨額が必要となる。財団法人（現在は公益財団法人）として運営している美術館ゆえ、新しい美術館を立てるほど莫大な利益を普段から稼ぐことは不可能に近い。そこで同館が講じた策は、所蔵品の一部を売却することだった。対象となったのは、中国の清朝がヨーロッパから献呈を受けた大型の装飾時計の数々だ。たくさんの宝飾品が装飾として施された、とにかく豪華できらびやかな時計である。根津美術館が所蔵していた数は10点以上に及んでいた。ところが同館では日本や中国の美術の名品を企画展示するのが基本方針だったため、それらの時計が実際に展示されることはそれまであまりなかったという。そのうえ、時計ゆえの問題もあった。歴史的なものであることもあり、修理をできる職人が日本には存在しなかったのである。ヨーロッパには、まだそうした装飾時計を扱える職人がいるという情報があった。こうした時計はもはや実用品ではなく文化財ではあったが、やはり動かないことには問題がある。そうした事情から同館は、これらの時計を手放してもいいのではないかという判断に至る。そしてその多くが海外オークションに出された。事前に報道などである程度の情報が出ていたこともあり、競売の結果は好調で出品された十数点が日本円にして総額30億円以上で落札された。そして無事、新しい美術館の建設が実現し、瀟洒ながらも味わいのある今の施設ができたわけである。所蔵していた時計のうち数台は今でも同館が所蔵しており、生まれ変わった美術館の中で常設展示されている。時計にとっても美術館にとってもハッピーな展開だったといえるのではないだろうか。

美術館が所蔵した作品の売却についてはもう1件、2017年に所蔵品の一部を海外オークションで手放した大阪の藤田美術館の例を挙げておきたい。同館はやはり中国と日本の古美術の充実したコレクションを収蔵している中から、清の乾隆帝が所有していたという陳容《ちんよう》作の絵画《六龍図》など約30点をニューヨークで開かれたクリスティーズのオークションに出品する。落札総額は301億円に達した。築70年を超える展示棟などの建て替えの費用を捻出するための苦肉の策としての出品だったが、余裕の成果だったのではなかろうか。

収蔵作品を市場に出すことの意味

こうしたケースを見ていくと美術館というものは極めて〝お金持ち〟のように見えるかもしれない。だが、美術館は、一度収蔵した作品はあくまでも手放さないことを原則としているので、今挙げた例はやはり例外と考えておく必要がある。たとえば美術館の収蔵品のことを「パーマネントコレクション」と呼ぶことがある。それは美術館が一種の「殿堂」であり、そこに収蔵されることが永遠に高いステータスを得るという認識にもつながっている。簡単に手放されるようなら、そのステータスは保てない。手放されないからこそ、その作品には不動の価値があるというわけだ。

2018年に、文化庁から美術館の収蔵品の一部を放出して市場を活性化するという案を持っていることがメディアで報じられ、少なからぬ美術関係者が反発を示したことがあった。文化庁は「リーディング・ミュージアム（先進美術館）」という名称を用いて、新たな美術館のあり方を提言していた。美術館が市場の牽引役となるような内容については再考を促すべき点が多かったゆえ、筆者もSNSで反対意見をつぶやいたことがある。この件を機に考えさせられたのが、美術館のコレクションに常につきまとう「死蔵」という問題だ。美術館の収蔵品は増やし続けるのみであれば何万点にもかさんでいく。一方で物理的なスペースや展示を担当する学芸員の方針等から展示の機会は限られるから、あまり世の中に出ない作品も増えていく。その解消のためには、館蔵品を再度市場に出すことについて議論してもいいように思う。美術館での収蔵においても、〝適材適所〟に類する考え方をしてみるといいのではなかろうか。ただ、大切なのは、儲けるために売るのではなく、いい作品を死蔵しないために手放すという考え方だ。いい作品ゆえに、世界を流転するということは、十分にありうることである。

《ヤナイハラI》

1956〜61年、日本の哲学者、矢内原伊作は何度も渡仏して、彫刻家アルベルト・ジャコメッティ※の作品のモデルになった。ジャコメッティのモデルの観察は「執拗」といえるほど徹底していたようだ。デッサンを描いても一筆ごとに「うまくいかない」と口にしつつ、ぐりぐりと描き続ける。矢内原は228日もの間、ジャコメッティのモデルを務めたという。ジャコメッティのモデルに知人や家族が多いのは、こうした性癖ゆえ通常の職業モデルでは務まらないからだという。

その制作態度は「写実の徹底」を想起させる。一方、彫刻の実作に接するとあまりの細さに通常のリアリズムとはかけ離れた創造性を感じることが多い。高さが2メートル近い大作もあれば、数センチ大の小品もある。しかしそのどれもが強い存在感を放っている。その存在感こそが、ジャコメッティが執拗な観察によって作品のうちに込めたリアリティー

※ 1901年〜1966年。細長く引き伸ばした人物彫刻で有名な彫刻家、画家。

なのである。

国立国際美術館が収蔵した《ヤナイハラⅠ》は、完成したシリーズ2作のうちの一つという。おそらくは耐えに耐えてモデルを務め上げた矢内原の魂の表出という意味合いにおいても、貴重な作品であることに間違いはない。16億円超を投じて、この作品が国内で見られるようになったことの意義は大きい。

Photo: NMAO / DNPartcom

1960〜61年、43・2×29・2×12・7センチ、ブロンズ、国立国際美術館蔵

日本にはなぜ美術館がたくさんあるのか？

「パトロン」という言葉の響きには、「庇護」という意味合いが多分に含まれている。つまり、芸術家というものは庇護すべき弱者であるということにもなる。そしてそれはあながちうがった見方とも言い切れない。すでにスターになったごく一握りの芸術家はともかくとして、そこに至る道のりにある人々は概ね専業で自立するのが困難であるケースが多いからだ。こと美術分野についていえば、時代を先取りした先鋭的な表現をする作家や作品は、多くの人の目には止まりにくい。しかし、為政者や富裕層などのごく一部の人々が認め、十分な報酬を与えたり雇用したりするなどの「庇護」をすれば、彼らは芸術家として腕を振るうことができる。これは、現代の大量生産大量消費の社会が求めるものとは反対のあり方であるところにも注目できる。すべてを資本主義の理念にゆだねると、芸術の分野では失われるものも多いということだ。ただし、圧倒的な権力を持った為政者や富裕層が現代の日本に乏しいことも事実である。その中で美術品を多く所蔵する美術館というものが「パトロン」の役割を果たしうるかどうかを、この節で検証する。

〝美術大国〟日本

それにしても、現代の日本には、本当にたくさんの美術館がある。各都道府県には、それぞれの自治体が建てた美術館が一つもしくはそれ以上。美術を伝統的に大切にしてきたヨーロッパに勝るとも劣らない実状であることには間違いがなく、美術館の数を基準に考えれば、日本は紛れもなく〝美術大国〟だ。では、日本にはどのくらいの数の美術館があるのだろうか。全国美術館会議という組織に所属しているのは、国立10館、公立251館、私立133館の394館（2020年4月1日現在）。東京だけで62館と偏りはあるものの、全国にかなり満遍なく存在すると考えていい。同会議に属していない小美術館も多く存在する。文化庁の調査では、2018年度の博物館数は5738館（登録博物館以外の類似施設を含む）。3分の1程度がいわゆる美術館と見積もっても、2000館近くの美術館または類似施設が存在することになる。筆者が美術雑誌の編集部にいた1990年代に当時の電話帳（タウンページ）に美術館として載っていたのが1500軒前後だったと記憶しているので、2000館という数字には実態とそれほどの乖離はないだろう。

少々大きな都市なら、複数の公立美術館があることも珍しくない。たとえば福岡市。近現代美術を中心にした幅広いコレクションを持つ福岡市美術館と、アジア地域の近現代美術を集めることで特徴を出した福岡アジア美術館、さらには県庁所在地ゆえの存在ともいえる福岡県立美術館と、3つもの公立美術館がある。近隣の太宰府市には九州国立博物館があり、しばしば美術関係の企画展示をしている。

一方で、実は人口の少ない農村地域にも公立美術館は存在する。岡山県の奈義町現代美術館は、岡山県の県庁所在地岡山市から電車に揺られて1時間超、さらにバスに乗り継いで30分。田園地域の真ん中に立っている。以前筆者が東京から出かけたときにも、十分な移動時間と相当な気合いが必要だった。ただし、現地に着くと、天地がひっくり返ったような空間をしつらえた、現代美術家の荒川修作の建築などがあり、行った甲斐を大いに感じた。むしろ結構な僻地に美術館があることにも、価値を見出した次第だ。

公立美術館に加えて、これまで例に挙げたように、日本には多数の私立美術館がある。日本は、〝美術館の密集地〟ともいえる状況を各地で展開している。

美術館は税金の使い道だった？

では実際にはどのくらい「パトロン」としての役割を果たしているのだろう。日本に公立美術館がたくさんできたのは、ハコモノ行政の側面が強い。増え始めたのは１９７０年代半ば頃、磯崎新の設計による北九州市立美術館などが建ち始めてからである。高度経済成長の時代であり、税金の使い道としても悪くなかったのではないだろうか。

ただしこの頃の美術館事情には、見落とせない傾向があった。各地に立つ美術館にとって収集対象となったのは基本的に近代美術を中心とした作品群だった。実は、先に例にあげた北九州市立美術館には具体美術協会（現代美術家の吉原治良らが立ち上げた美術家集団）等の現代美術家の作品を扱うという先見的な傾向があったのだが、それはあくまでも例外だった。風景や人物など何を描いているかがわかりやすい従来の画家の作品などと比べて、抽象的で何を表現しているかを一筋縄では理解できない現代美術家の作品は、なかなか企画展や収集の対象にはなりにくかった。今でこそ現代美術は若者を中心に鑑賞する人々が増えてきたけれども、半世紀以上前の日本では、現代美術というのは一部のマニアックなファンや関係者が楽しんでいるものに過ぎなかった。ごく一部を除けば美術館は、少なくとも現代美術家にとっての「パトロン」としては機能していなかった。

増えすぎた美術館が収集しやすかった現代美術

そんな中でも次第に現代美術に目が向いていく必然もあった。皮肉な話だが、公立美術館が次々に建つ１９８０年代になると、自治体が購入をしたいと思っていたような有名作家の作品が高騰し、購入するのが難しくなっていく。背景には、世界の美術市場が成長を見せるなかで、高度経済成長期を経てバブル経済のさなかにあったジャパン・マネーの投資の対象が美術品に向かった影響が少なからずあったと見られる。土地や株式に投じられていた資金が新たな投資先を求め、美術品がターゲットになったのだ。そのさなかだった１９８７年、安田火災海上保険（現・損害保険ジャパン）はゴッホの《ひまわり》を入手した。同社はこの作品を海外オークションで落札した。価格は当時の為替レートで換算して約53億円。企業ならともかく、公立美術館が手を出せる金額ではなかった。

美術市場がそうした状況にありながらも、ハコモノ行政の産物ゆえ、公立美術館の数は増えていく。自治体としては市民の文化生活の向上に寄与する名目が立ち、建設業などの分野に金を落とすことにもなる。一方、購入予算は毎年発生するものなので、いつも湯水のように使うわけにはいかない。たとえば、公立美術館の草分けとして知られる神奈川県立近代美術館の2008年度の購入予算は700万円。日本人作家においても著名作家の場合は数千万円することはしばしばあるから、〝権威ある〟コレクションを形成するのはなかなか難しい。では、それほどの予算を組まずして購入できるものは何か？　その結果、自然に現代美術にも目が向いていくのである。オーナーの堤清二氏の感性が生きたと推察される西武美術館（後のセゾン美術館）などでは、たとえばアンディ・ウォーホルやジャスパー・ジョーンズなどの先鋭的な現代美術作品を扱い始めていたし、中原佑介《なかはらゆうすけ》や東野芳明《とうのよしあき》など美術評論をなりわいとする人々の中にも現代美術のスペシャリストが増えている時代だった。公立でも地元出身の作家の作品に加えて現代美術をコレクションの対象にする館が全国的に増え、1989年に開館した広島市現代美術館のように現代美術を専門にする館も現れた。400億円超の予算を投じて設立したという東京都現代美術館は、1995年の開館。同館が高度経済成長期が終わってから開館したのは、成長期の間に開館の計画が進んでいたからだ。現代美術を扱う美術館が増えたことは、展示の場や収集の機会を増やし、美術館が「パトロン」としての役割を果たすことにつながった。

苦境が生んだパトロンとしての役割

ところが1990年以降、いわゆるバブル経済がはじけ、不況が進んだなかでは、税収の減少に喘ぐ自治体の現状を反映して、多くの美術館で美術品の収集予算がつかないという事態が長く続く。「ハコダケ行政」になってしまっていたのである。そうなると、現代美術家の作品を買えない状況になってしまい、「パトロン」の役割が果たせなくなる。学芸員の力では解決が難しいことではあったが、工夫があった例を一つだけ紹介しておこう。

1989年に広島市の比治山公園に開館した広島市現代美術館の収集対象は、その名の通り現代美術である。ところが、90年代半ばごろになると世の中の不況を反映して収集予算ゼロという事態が続くようになってしまった。かろうじて企画展の開催のための予算はついていた。そうした状況を打開するために講じたのが、次のような作戦だった。現代美術家に企画展のために新しく作品を制作してもらう。その際に制作費を館から拠出し、展示後、できた作品を美術館が収蔵するのである。これなら、企画展の予算から作品の収蔵が可能になるというわけだ。この手法によって、同館は現代美術家にとっての「パトロン」としての役割を、多少なりとも果たしていたと言ってもいいのではないだろうか。

美術館を維持するにはいくらかかるか？

そもそも美術館には、建物ゆえに金がかかる必然がある。規模に応じて数億円から数百億円かかる建設費はもとより光熱費などの維持費、そして収蔵作品の保管や修復にかかわる費用が毎年発生し、さらには経年に伴う建物の補修や建て替えの費用も億円単位に及ぶことがある。１９９５年に東京都江東区に開館した東京都現代美術館は建設費が４００億円超、年間の維持費が数億円超に及ぶことがマスメディアで指摘されたこともある。しかし、美術品をかけがえのない財産と捉えるなら、保存・展示するのに見合った建物があるというのはきわめてありがたいことでもある。

建物の改修費用

先述した建て替えまでには至らないケースでも、住宅を含む通常の建築物のことを振り返ればわかるように、老朽化した場合の補修や改修は必須である。１９７４年に開館した北九州市立美術館は、２０１０年代に入って雨漏りのために一部の展示室を閉鎖するなどの措置がとられたことがある。美術館にとって、作品損傷の原因になりうる雨漏りは、あってはならぬ事態だ。ところが問題が顕在化しても、すぐに改修というわけにはいかなかった。数億円の補修費用の調達がなかなかできなかったからだ。閉鎖は数年間続き、市内の他の施設の整備などと合わせて２０１７年に改修工事を終えてリニューアルオープンした。補修・改修・建て替えなどは建築物の宿命だが、建てるときにそこまでを視野に入れた計画を立てるのは難しいだろうか。自治体の場合は、いかにして市民のコンセンサスを得ながら予算を確保するかという問題もある。

その点、このほど工事を終えた京都市京セラ美術館（旧・京都市美術館）の改修は、物議を醸しながら、予算の調達に成功した特殊なケースとなった。改修工事には総額１００億円が必要と算定され、京都市がそれを全額出すことは難しいという理由で、ネーミングライツ（命名権）を売ることによって費用を捻出するという策が取られたのである。契約したのは、京都に本社を置く京セラだった。2020年春にリニューアルオープン。「京都市京セラ美術館」という名前が付与された。京セラは50億円を拠出する見返りとして、50年間分のネーミングライツを得る契約という。

市民で収蔵作品を「シェア」する

京都市京セラ美術館は、地元京都を代表する日本画家、竹内栖鳳《たけうちせいほう》らの名品を所蔵することで、京都という町の歴史を支える〝収集家〟としての役割をはたしてきた。同館のような公立美術館は税金で運営されている。税金という市民のお金で購入や管理をすること自体には、美術家の活動や美術品の維持を市民がパトロンとして支えているという考え方も成り立つ。今風の言葉を使えば、市民で金を出し合って「シェア」しているということだ。ここで一つお勧めしたい国公立美術館コレクションの見方がある。国立館や居住地の公立館の所蔵作品を、「この絵は俺の金で買ったんだよね」と思いながら眺めるのだ。たとえば、東京国立近代美術館のコレクション展示スペースでよく展示されているセザンヌの《大きな花束》は、同館が2014年に20億円で購入したもの。フランスのポスト印象派の画家として知られるセザンヌは、安井曾太郎や岸田劉生《きしだりゅうせい》など日本の多くの画家にインスピレーションを与える存在だった。日本の近代美術を収集の核とする東京国立近代美術館がこの作品を購入したゆえんだ。《大きな花束》は、南仏のサント・ヴィクトワール山などを描いた風景画や人物画、りんごを描いた静物画などのよく知られたセザンヌの作品とは異なる図柄だ。花瓶からあふれ出たかのように描かれた花の描写が力強い。同館は20億円もするような作品を毎年購入できるわけではなく、文化庁の特別予算でこの作品を収蔵した。いわば極め付きの1枚に予算を投じた成果となったわけだ。家計でも大切なものにはお金をかけるものだろう。自分の大切なお金で買ったと思いながら眺めていると、不思議と身近に感じられるようになるものである。

美術館の成り立ちとエコシステム

美術品を多くの人の目に触れる場を提供する美術館の存在が確立したのは、主に近代以降の話である。古くは、16世紀前後に神聖ローマ皇帝のルドルフ2世が収集品を集めて部屋を作ったのが、美術館の原型とも言われる。美術品だけでなく動植物や鉱物などいろいろなものを集めていたというから、「博物館」といったほうがいい（そもそも美術館は博物館の一種である）。イタリア・ルネサンスでパトロンとして多くの財を美術分野に投じたフィレンツェのメディチ家のコレクションがもとになってできたのは、ボッティチェリ《ヴィーナスの誕生》などの所蔵で知られる同地のウフィツィ美術館。16世紀末から一部が公開されていたようだが、本格的に美術館として機能し始めたのは、18世紀後半からという。美術館の存在が公の中でも大切になり数が著しく増え始めたのも、それ以降である。

コレクターが美術館を生んだ

そもそもなぜ美術館というものができたのか。それは人間に収集癖があることに端を発する。美術品は原則的に消費財ではないので、いいものだと思えば捨てずに取っておくのが人情だ。いいものが溜まると、自分だけで専有しておくのがもったいなくなる。自分をこれだけ楽しませてくれるのだから、その幸せをほかの人々にもおすそ分けしたいと考えるのは、自然なことである。

歴史の話をするだけではリアリティーに欠けるので、実際に会ったことのあるコレクター某氏について、語ってみる。企業のサラリーマンだった某氏は、出張で地方に出るたびに画廊を覗き、ちょっと気に入ると買ってしまう性癖の持ち主だった。懇意にしている美術商が各地にいた。ほとんどのコレクションは、有名とは言いがたい日本の近現代の画家の作品。それゆえサラリーマンでも買えたわけだ。結局小企業の社長にまで出世した某氏の自宅は、居間や寝室だけでなく廊下やトイレにも美術品がびっしり。倉庫と化している部屋もあった。美術品に囲まれて暮らすこと自体が最高の幸せだったのである。そしてときどき口にしていたのが「美術館を作りたい」という言葉。残念ながら夢がかなわないうちに亡くなってしまったが、その心は「幸せのおすそ分け」だった。

おすそ分け精神で生まれた美術館たち

「おすそ分け」の心を持って成立したコレクションやそのコレクションをもとに開館した美術館は、国内にけっこうたくさんある。倉敷紡績等の社長だった大原孫三郎の大原美術館（岡山県倉敷市）、ブリヂストン創業者石橋正二郎のブリヂストン美術館改めアーティゾン美術館（東京・中央区）、東武鉄道創業者の根津嘉一郎のコレクションを核にした根津美術館（東京・港区）など、収集品を目の当たりにすると、「よくぞここまで」という熱意が感じられる。

比較的近年、コレクターの収集品をもとに開館した中で素晴らしさを感じているのは、２００２年に開館した神奈川県箱根町のポーラ美術館だ。化粧品会社ポーラの2代目社長、鈴木常司のコレクションがもとになっている。鈴木は寡黙な経営者だったという。代表的なコレクションの中にピカソの《海辺の母子像》という油彩画があり、経営上で悩みが生じるとしばしばその絵の前にたたずんでいたそうだ。鈴木はモネやルノワール、そして藤田嗣治《ふじたつぐはる》や坂本繁二郎《さかもとはんじろう》ら日本の近代美術などの分野でも作品を多く収集し、いつしか美術館の開館を夢想するようになった。そして実際にその計画が進み開館を控えた2年前に亡くなった。箱根まで出かけてそのコレクションを見るたびに、鈴木は絵と静かに対話していたのだなと思う。そしてそこには、絵との対話によって得られた喜びを多くの人々と「シェア」しようと思った鈴木の心が見えてくるのである。

美術館の開設にまではいたらなかったコレクターの中で収集内容が特に印象的だったのは、２０１８年に亡くなった福富太郎だ。キャバレーの一社員から経営者になった福富の収集品の中では、近代の美人画コレクションが有名だったが、その中に、特にこれぞという作品があった。岡田三郎助《おかださぶろうすけ》の油彩画《あやめの衣》（現在はポーラ美術館蔵）だ。着物を着た女性の後姿がなんとも美しい。とにかく気に入っていて、寝室にずっと掛けていたという。いい美術品は唯一無二の存在であり、本当に毎日愛でたくなる。筆者にも、その気持ちはよくわかる。数千円〜せいぜい数十万円程度の版画や水彩画でも、自室に飾ってあると、ふと見たときにじわじわそのよさが絵から染み出してくるのを感じ、幸福感が心の内に湧き出すのだ。その幸せを他人と「シェア」

できるなら、そこには新しい意義が生まれる。筆者は何度か生前の福富を取材したことがあり、年賀状ももらっていた。その中に「洗足池美術館」と題して所蔵品の写真を載せていることが何度かあった。自らのコレクションで美術館を開設したいという思いがにじんでいた。

お金が喚起する人間的な感情

お金を出して美術作品を買って自分のコレクションにすることは、ただ眺めるのとはずいぶん違った愛着を芽生えさせる。いい作品であれば、毎日見ていても飽きるということもない。むしろ、いつも家にいる自分の子どもに接するような気持ちにもなる。お金という経済の象徴が、そうしたものとは対極にありそうな人間の根源的な感情を喚起する。極めて興味深い現象である。

こうして見ると、コレクターの愛情の結晶とも言える私立美術館と、ハコ作りから始まった国公立美術館とでは、存在意義がまったく違うようにも見える。しかし、国公立美術館には個人コレクターの収集品が寄贈されるケースもかなり多く、やはり〝愛〟が感じられるのである。たとえば２０１０年に東京国立近代美術館が購入したパウル・クレーの《山への衝動》は、ソニー創業者盛田昭夫の妻、盛田良子が長らく所蔵し、自室に飾っていた作品だったという。作家の知名度にかかわらず、いい作品であれば、展覧会で一度だけ見るのと、自室で毎日見るのとは、まったく異なる体験になる。

美術館のエコシステム

逆に考えると、〝愛情〟という必ずしも経済面で合理性を発揮するとは限らないものをベースに生まれた美術館の運営は、なかなか大変である。普通に考えれば、美術館運営の基本は来場者が支払った企画展や常設展への入場料を収入の柱とすることだろう。展覧会の会場設営、作品借用、作品輸送、広報、図録制作、さらには作品に事故が起きた場合のことを想定した保険料など経費がかかる要件は多岐に及ぶ。別に学芸員や事務職員などの人件費や作品の購入費、規模に応じて発生する建物の光熱費や改修費などもまかなわなければならない。公立美術館の一部では、運営の多くを外部の組織に委ねる「指定管理者制度」が十数年前に始まったが、運営の主体が変わっただけで、経費のありようは変わらない。海外から知名度の高い作家の作品を多数借りてくる場合は、保険料だけで億円単位になることもあると聞く。

日本の場合に特殊と言われるのが、新聞社や放送局が主催に入っているケースが多く見られることだ。たとえば２００９年に朝日新聞社、テレビ朝日などが主催して東京国立博物館に94万人を動員した「国宝　阿修羅展」や、２０１６年に日本経済新聞社、ＮＨＫが主催に入って東京都美術館で44万人を動員し、一時は5時間以上の入場待ち行列を生んだことで知られる「若冲展」。これほどの動員を実現したのは、もちろん多くの人が興味を示す内容だったことが前提にあるが、新聞紙面やテレビ放送で周到な告知が図られることが大きい。大手の全国紙で全面広告を出そうと思えば、通常は１０００万円を超えるほどの広告料金がかかると聞く。しかし新聞社が主催に入っていれば、場合によっては全面広告以上の面積の記事が掲載される。連載記事になることもしょっちゅうだ。阿修羅展では一時毎日、朝日新聞の社会面に枠で囲まれた広報記事が掲載されていた。しかも広告ではないので料金はかからない。新聞社としては文化支援の面目を保つことになる。放送局も似たようなものだ。「若冲展」では開催当初から会場は人に満ちていたが、会期が始まる直前にいくつかの特集番組がＮＨＫで放送されていた。仮に１５００円の入場料で30万人入った展覧会があったとすれば、入場料収入は4億５０００万円。もちろん主催の新聞社や放送局は収入の少なからぬ部分を持っていくことになると推測されるが、動員に苦慮することも多い美術館としては、なかなか捨てがたい魅力を感じざるをえない。ただし、新聞社や放送局が編集記事・番組として配信していることに対して報道機関としては公正ではないのではないかという議論があったり、内容よりも動員に重きが置かれた企画展に開催が偏る恐れがあったりという指摘があることも付記しておく。実際、近年は日時指定チケットの導入も一部で進んでいる。また、コロナ禍の下では展覧会で大量動員を図ること自体の見直しを迫られている。

《山への衝動》

20世紀初頭から雑誌『青騎士』などを通じてヴァシリー・カンディンスキー※らとしばしば活動をともにしつつ、前衛的な作風を切り開いたスイス生まれの画家パウル・クレーは、簡略な筆致で描いた天使の素描でよく知られる。音楽一家に生まれたクレーは自らヴァイオリンを弾き、いかにして絵画のうえで音楽を表現するかということに力を割くことで、新天地を見出す。

1933年にナチスが政権を取った後、クレーはドイツからスイスに戻ることを余儀なくされるが、35年頃から皮膚硬化症という病気に悩まされていた。そのおかげでもはやヴァイオリンは弾けなくなっていたようだが、最後の力を振り絞ってたくさんの絵画を描いている。ただし、最晩年に描いた《山への衝動》にもその傾向を見ることができる。しかし手の自由が利かなくなっていたのか、線はずいぶん太くなっている。最

※ 1866年〜1944年。ロシア出身の画家。「抽象絵画の創始者」と呼ばれる。

クレーは線による表現に著しく長けた画家だった。山の高みを目指して力強く登る蒸気機関車のモチーフは、最後まで絵を描くことを諦めなかったクレー自身を描いたものではなかろうか。

１９３９年、95×70センチ、油彩、綿布、、東京国立近代美術館蔵

Photo: MOMAT / DNPartcom

それでも作家は美術館を目指す

作家の立場から見た美術館の「価値」についても考えておきたい。美術館で展示することは、すべてではないにしても多くの作家にとって、大きなステータスであり、目標にもなっている。さらに彼らのアグレッシブな姿勢に目を向けると、美術館で展示することを想定して作品を制作する例も多い。美術館で展示されたことは、その作品の極めて重要な来歴になり、オークションカタログ等にも記載される。美術館が作品を買ってくれるという直接的な利益よりも、むしろ「ステータス」のほうが大きいのかもしれない。

美術館に収蔵されるということ

以前、筆者が美術雑誌の編集部にいたときにある調査をしていてこんな事例に出合ったことがある。作品価格を調べていたときに、一般向けに売る価格と美術館向けに売る価格が、同じ作家の同じような作品の中でもずいぶん違っていたのである。特殊な事例だった可能性もあるのだが、3倍ほどの開きがあった。その作家と直接話をする機会を得て実際に言葉のやり取りをした際には、やはり公にしてほしくないという印象だった。無理からぬ話だとも思った。美術館に作品が収蔵されること自体が、作家にとっては大きなステータスとなる。一方、美術館には、極めて限られた予算の中で効率的に上質の作品を集めなければならないという事情がある。両者の折り合いは、作品の価格を一般価格よりも下げることでつくというわけだ。こればかりは、一概に二重価格として責めるわけにもいかない。それでなくても、美術館には美術家やその遺族から作品が寄贈される例も多々ある。美術館にとってはすべての寄贈を受け入れるわけにはいかないという事情もあるのが常だが、予算が限られた中では、ありがたい作品収蔵の機会であることは間違いない。

COLUMN

美術館に期待される機能

現代の美術館は、一人の作家の生活の面倒を見るというような意味での「パトロン」になるのは難しい。ただ、美術家たちを支えようという意思は、そこここで働いている。美術家が一人で生きていくのが難しい状況は昔も今もそうは変わらないのだが、支えようという意識が高まりを見せれば状況は変わる。美術館にどこまでその力を発揮できる場を創出できるか。たとえそれがハコモノ行政の産物であったとしても、一度できた「ハコ」にはそれなりの威力がある。美術の専門家である学芸員の数も増えている実感がある。

そもそも、美術館の機能は時代とともに幅を広げつつある。いわゆる泰西名画《たいせいめいが》（西洋諸国の名画のこと）や日本の古美術の名品を見せるばかりではなく、現代美術を扱う館が増えることによって展覧会の開催そのものが批評的な働きをしたり、美術家の育成に寄与したりといったことである。筆者が会員に名を連ねている「美術評論家連盟」では、多くの美術館学芸員が会員になっている。彼らは展覧会カタログのみならず、美術雑誌やウェブ媒体に文章を寄稿したり著書を刊行したりすることで、批評家の役割を果たしている。美術館が評価の定まった名品を見せる場からこれから評価が高まりを見せるべく美術を育む場へと変容していることの表れでもある。筆者としては、これからの美術館に大きく期待したいと思っている。

第5章

贋作と鑑定

贋作は作家の人気度を計るバロメーター？

贋作はしばしば、小説や漫画の題材になる。実際、美術作品の贋作は多く、それが一般の人々が購入する際の〝壁〟となっているのも事実だ。有名な画家の作品なら何千万円もするものが、贋作と判明した途端に経済的価値はゼロになってしまう。そんな恐ろしい世界には足を踏み入れたくないと考えるのも無理からぬことだろう。贋作はいったいどうやって作られ、真贋鑑定は誰がどのようにしているのか。

近年は科学鑑定という言葉も身近になってきた。それがいったいどのくらい真贋鑑定に役立つのか。そもそも制作後数百年の時を経た作品の真贋鑑定は本当に可能なのか。事実は小説より奇なりという言葉があるが、美術の現場はその言葉を地で行くスリリングな世界でもあるようだ。少しだけ、その光景を覗いてみよう。

贋作とは何か？

贋作とは、真作（作者本人のもの）ではないのに、真作として世に出た偽物の作品のことを指す。美術品には、しばしば贋作問題がつきまとう。著名な美術家の作品として数億円の値がついていたものでも、贋作と判明した途端に経済価値はゼロに等しい状態になる。逆に言えば贋作は、本来は価値がないものに経済価値を付与しようと意図した代物ということになる。そうした意味では、贋作は、経済が生んだ存在だと言える。贋作が存在するのは、通常は美術市場で売れる作家に限られる。「贋作は作家人気のバロメーター」という言葉を聞く。芸術性よりも経済性における評価による「人気」に基づいたものと考えられる。

筆者は以前、美術雑誌の広告に贋作が載っているのを見たことがある。ものは、大正ロマンの画家として知られる竹久夢二の肉筆画。縦長の画面に優美な女性の姿が描かれた美しい絵だった。なぜ贋作だとわかったか？　それは、軸装されたその絵の本物をある場所で見たことからだった。本物として見せてもらった作品については、所有者が誰から誰に移ったかという来歴がはっきりしていたので、真贋の疑いようはなかった。広告に載っていた作品と比べる機会があったのでよく見比べると、細部の筆遣いが微妙に異なっていた。とはいえ、贋作のほうも相当に出来のいい代物だった。雑誌で確認しただけだったが、もしこの絵を目の前で見せられて夢二の本物だと言われれば、自分程度の鑑識眼なら筆の勢いなども含めて信じてしまうに違いないと思われた。何せ、広告を出した美術商も騙されていたのだ。贋作として、とにかく見事な出来だった。

贋作と複製、模写の違い

そこで改めて思ったことがある。20世紀前半、ドイツの哲学者のヴァルター・ベンヤミンは、複製には「アウラ」すなわち本物にこそ宿る魂のようなものがないことを主張した。しかし、この例で出した夢二の贋作を出来のいい複製と見ると、100パーセントとは言わないまでも、「アウラ」の何割かが宿っているのではないか、とも考えさせられる。美術商がすっかり騙されていたほどなのだから。

贋作は、いわば人を騙すための複製である。ここで、贋作に類するものとして、「模写」について考えてみよう。模写も複製の一種である。ただし、贋作とは違って、騙す意図はない。日本の美術館の展示室では禁止されていることがほとんどだが、ヨーロッパの美術館では画学生あるいは画家らしき人が名画の模写をしている現場にしばしば遭遇する。歴史的な名画の模写は、絵描きには特に勉強になる。「どう重ね塗るとこんな肌合いが表現できるのか」「この勢いはどんな筆遣いで実現するのか」など、巨匠画家の創意や表現の深層は、模写をしてこそわかることも多いのだ。ゴッホは画家としての修業時代にミレーなどの模写をして自分流の作品に仕立てているし、菱田《ひしだ》春草《しゅんそう》は明治時代に日本の仏教絵画を対象に、傷まで再現した極めて細密な模写をしている。江戸時代の画家、伊藤若冲は、現在の京都・四条河原町近くにあった家から小一時間程度歩いて相国寺まで出かけ、中国から伝わった絵画を模写していた。やはり江戸時代の画家、俵屋宗達が描いた《風神雷神図》は後の時代の尾形光琳や酒井《さかい》抱《ほう》一《いっ》が模写しており、それぞれが良作として認められている。そもそも近代以降のように複製技術が発達していなかった時代には、模写は一点ものの絵画をより多くの人々に伝達する重要な手段でもあった。画家の個性の主張がなかったわけではないが、著作権という概念はなく、模写はよきものだったのである。つまり、模写と贋作の違いは、描かれた絵そのものにあるのではなく、そこに人を騙そうという意図があるかどうか、ということになる。オリジナルとは異なる素材で作ったレプリカなども同様だ。

真贋鑑定で芸術的価値は変わるのか？

市場に出回っている贋作には、いくつかの種類がある。

・文字通り、ある作品を写した偽造品を本物として売ろうとしたもの。
・模写であることに気づかずに、美術商などが本物として売ろうとしているもの。
・本物は存在せず、ある作家の作風を真似て描くことによって、売ろうとしたもの。
・弟子筋や同じ流派の作家の作品をしっかりとした鑑定ができなかったために、巨匠の本物として売ろうとしたもの。
・ある巨匠作家と同時代の似た傾向の作品に、意図的に偽のサインを書き入れたもの。

・鑑定書を偽造したもの。

などである。

そもそも、真贋鑑定の難しさについては、多くの人が想像しうることだろう。今の時代にネットなどを利用してはびこる詐欺集団が巧みを尽くしているように、美術市場の中でも、歴史的に極めて巧みな贋作が生まれてきた。ここで、ハン・ファン・メーヘレンという希代の贋作者の例を挙げておこう。

贋作を描いた本人が公表しないと真作のままだった

話は、第二次世界大戦前にさかのぼる。ターゲットとなった画家は、17世紀オランダの画家、ヨハネス・フェルメールだった。フェルメールが日本で絶大な人気を博し始めたのは2000年前後からだが、世界的にはいったん忘れられて、19世紀以降学者の顕彰によって再評価が進む。そして第二次世界大戦前に発掘されたのが、《エマオの食事》（ボイマンス・ヴァン・ベーニンゲン美術館蔵、口絵6）という作品だった。キリストが食事をする様子を描いた内容、つまり宗教画である。有名な《牛乳を注ぐ女》

のように、フェルメールには、窓から光が差し込む中で女性が何かの動作をしている様子を描いた室内画が多い。一方、数は極めて少ないが、キリストなどを描いた宗教画もある。フランク・ウイン著『フェルメールになれなかった男』(小林頼子ほか訳、ちくま文庫)によると、《エマオの食事》は、その点が実に巧妙だった。ごく初期に描いた宗教画と脂がのった時期に描いた室内画をつなぐ空白の時代を埋める作品として描かれたのが、《エマオの食事》だったのだ。

作者のメーヘレンは、たとえばカンヴァスなどの画材についても、フェルメールの時代のものを使ったという。メーヘレンの周到な作戦は功を奏し、専門家も騙されて、美術史の空白を埋める発見と位置づけられる作品と認められたのである。そして、《エマオの食事》は、晴れてオランダ・ロッテルダムのボイマンス美術館の収蔵品となる。数百年前に描かれた古典絵画の鑑定がいかに難しいかを物語る、象徴的な贋作事件といえる。

この話でさらに興味深かったのは、贋作であることが発覚して以降のことだった。贋作者のメーヘレンは、第二次世界大戦が終わる頃、自らこの作品が贋作であることを告白した。ヒトラーの腹心ヘルマン・ゲーリングにメーヘレンが描いた《姦通の女》という絵をフェルメールの作品として売ったなどのことから、ドイツ・ナチスとの共謀者として逮捕されたのをきっかけに、《エマオの食事》を含めて自分が描いた贋作だったことを主張したのだ。ナチスを贋作で手玉に取ったレジスタンスだったというのが彼の言い分だった。

ところが美術史学者のお墨付きがあり、権威のある美術館の所蔵品ともなったという事実から、フェルメール作と認めた専門家たちはメーヘレンの主張をなかなか認めようとしなかった。もちろん、こうしたことについては贋作を主張したものの狂言である可能性もあるので、即座に信じるわけにはいかなかっただろう。結局、メーヘレンは関係者を自分の工房に招き入れ、そこでたくさんの贋作を作っていた証拠を見せた。《エマオの食事》は現在、メーヘレンの作品として、ボイマンス美術館が所蔵している。このエピソードでわかるのは、権威というものが絡む真贋鑑定がいかに難しいものであるかということである。

真作となったとたんに市場価値が4万倍に

弟子筋の作品については、本書の冒頭で挙げたレオナルド・ダ・ヴィンチの《サルバトール・ムンディ》が逆の意味での好例と言えようか。長らく弟子の作品とされていたのだから。ダ・ヴィンチには、本人のオリジナルがすでに存在しないのに、弟子が模写をしたとされる作品がいくつもある。弟子もそれなりに巧いので、ダ・ヴィンチ本人の作かどうかを見極めるには慎重を期す必要がある。制作されてから数百年も経って作品を見極めるのに、たくさんの困難がつきまとうのは道理である。

《サルバトール・ムンディ》の実物を筆者は見た経験がないが、写真で見るかぎりでも相当な匠が描いた作品であることがわかる。しかし、そうした印象だけで真贋鑑定をするわけにはいかないのがこの世界である。この作品について筆者は細かな鑑定材料を目にする機会は得ていないが、ダ・ヴィンチ特有の色の重ね方や筆致などについての微に入り細を穿った検証に加え、科学鑑定なども交えて真作という判断がなされたと推察される。CNN．co．jpの2017年11月16日付けの記事「ダビンチ絵画、510億円で落札　芸術作品として史上最高額」（2019年12月23日アクセス）によると、2005年の時点でも「1万ドルたらず」で美術商が入手していた作品が、2017年には4億5030万ドルで落札された。わずか12年で市場価値が4万倍以上にも上がっている。驚愕に値する。

12年の間にこの作品の芸術的価値が変わったわけではない。真贋鑑定の結果に基づく不条理ともいえる市場価値の動きだが、それを経済活動をそもそもの重要な生存要件とする人間の価値観を象徴的に反映した現象と捉え直すことも可能だろう。

この件をめぐってつくづく考えさせられたのが、人間は情報の動物だということである。美術品には限らない話で、機能や美しさだけでなく付随する情報によって、物に対して人が持つ価値観は大きな変化を余儀なくされる。だが、はっきり言って、作家名によって4万倍も価値が変わるというのは、あまりに理不尽な話だ。《サルバトール・ムンディ》はそれだけで見ても十分に素晴らしい。弟子の作品という認知のままだったとしても、師匠と同時代の古典絵画であり、それなりの評価があってしかるべきである。それなのに、人はいったいこの絵の何を見てきたのだろうとさえ思う。情報の力が強すぎると人の目はしばしば曇る。目を大切にしたいものである。

《エマオの食事》

エマオという町で、復活したキリストにたまたま出会った2人の弟子がいた。それがキリストであることに彼らは気づかず、一緒に泊まって食事をしていたらキリストであることがわかった。そしてキリストの姿が見えなくなった。そんな説話を描いたのが《エマオの食事》だ。宗教画の画題としては後発だったという。

ほかのフェルメールの作品にはないこの画題をメーヘレンがあえて描いたのは、同じ17世紀のオランダでフェルメールよりも一世代先輩のレンブラントに作例があったからかもしれない。メーヘレンはおそらく、レンブラントが《エマオの食事》を描いたことを知っていたのではないか。そしてこの時代のオランダの画家ならこの画題を描くのが一つの傾向になりうると考えたのではないか。※ こうして、フェルメールの画歴の空白を埋める作品を登場させた。そう考えると、どちらかというと珍し

※ 16世紀のイタリアの画家、カラヴァッジョの作品にも同じ題材の《エマオの食事》がある。

いこの画題をメーヘレンがなぜ手がけたかということにも納得がいく。

それにしても、贋作ということがわかってこの絵を凝視すると、およそフェルメールの作風には見えない。にもかかわらず、学芸員などの専門家が騙されたのは、いったいどういうことなのだろう。フェルメール初期の宗教画を描いていた時代と後期の室内画を描いた時代の中間の空白を埋めるにあたり、両者の作風の空白をも埋める作品と解釈されたのではないだろうか。いわば作風が発見されたというわけである。

写真：ロイター/アフロ

1937年、油彩、カンヴァス、125×127センチ
ロッテルダム、ボイマンス・ヴァン・ベーニンゲン美術館蔵

贋作事件に巻き込まれた肉筆浮世絵の受難

世の中にごまんと贋作があることからも推察できる通り、贋作には厚い歴史がある。美術品が経済価値を伴う高価な「物」である以上、贋作が生まれるのを止めるのは至難だ。ここでは一つ、昭和のはじめに起きた印象的な事件を記しておくことにしよう。「春峯庵《しゅんぽうあん》事件」と呼ばれる一件だ。

世間を巻き込んだ贋作事件

ことが起きたのは、昭和9年（1934年）のことだった。この頃しばしばあったことだが、旧大名家の所蔵品が売立と呼ばれる業者間の競売にたくさん出てきたのだ。

「春峯庵」というのは、出品者の号、出品されたのは肉筆浮世絵だった。浮世絵というと通常は「錦絵」すなわち木版画のことを指す。しかし、江戸時代の浮世絵師たちの多くは肉筆画を手掛けることもしばしばあった。考えてみれば当然のことと言えるのかもしれないが、やはり人気の浮世絵師たちは筆を持たせれば天下一品、肉筆画も上手に描く者が多かったのだ。版画が版元の下で出される出版物であることは前述したが、絵師たちは版元の要望を聞く必要があるので表現にはおのずと縛りが出る。創造力の旺盛だった葛飾北斎が、版元による縛りがない肉筆画を積極的に多く描いていたことは前に述べたとおりだ。

さて、春峯庵事件に話を戻せば、出品された多くの作品は実際に落札され、9万円の売り上げが立ったという。昭和12年の公務員の初任給が75円だったというから、売り上げが極めて巨額だったことがわかるだろう。この売立には、世紀の大発見とも言える東洲斎写楽の肉筆画などが出品されたことから、新聞でも報道され、世間の大きな注目が集まった。またこの入札のための画集が出版され、笹川臨風《ささがわりんぷう》という美術史家が序文を記したことが知られている。ここでもメーヘレンの例と同じく、美術史家という「権威」がかかわっている。ところが、売立の出品作はすべて贋作だった。岡山に贋作浮世絵を制作している親子がおり、金子孚水《かねこふすい》という美術商がかかわることによって売立に出たのである。

美術市場で売れなくなった肉筆浮世絵

一般に、版画に比べると肉筆画は贋作が出やすい。理由は版画の複数性による。多く本物が出回っている版画については、オークションなどへの出品物がオリジナル作品と比較的容易に比べられるので、偽物を作りにくいのである。肉筆画であれば、一点一点筆致や構図が異なるため、オリジナルと比べるということ自体ができない。メーヘレンが描いたフェルメールの絵のように、オリジナルが存在しない贋作が存在しうる。春峯庵事件の出品作も肉筆画だったため、版画の浮世絵と比べると鑑定が難しかったのだ。そこに権威ある美術史学者のお墨付きになる序文が載った画集が出版された。落札した人々は、こうした状況から出品物を本物と信じて疑わなかったわけだ。

美術商の金子の計算が大きく狂ったのは、おそらく事前に新聞で大きく取り上げられたことだ。東洲斎写楽の肉筆画の発見を報じたのは東京朝日新聞だったが、浮世絵商の業界では贋作であることが噂になっており、金子を問い詰めて真相を知った小説家・邦枝完二《くにえだかんじ》が読売新聞でそれらが贋作であることを暴露し、警察が動いたという。
事件の余波は大きかった。江戸文物研究所の内村修一さんによると、「〃肉筆浮世絵は危ない〃という誤解が美術市場に広がり、戦後になっても売れない時期が長く続いた」という。

実際には、肉筆画には独特のマチエール（絵の表面の質感）を伴った作品が多く、味わい深いものである。むしろ、輪郭線しか描かない浮世絵版画よりもすべてを絵師が描く肉筆浮世絵のほうが画家の本領が発揮される。にもかかわらず、一つの事件のマイナスインパクトが大きすぎて美術商には扱いづらいものになってしまった。それは、芸術性よりも経済性が大きく作用したと読み替えることもできる。筆者の認識では、木村東介《きむらとうすけ》などごく一部の美術商が扱いはしていたものの、美術史分野で肉筆浮世絵の研究が本格的に進み、展覧会にも多く出品されるようになったのは、20世紀末以降のことだった。

複製品でも版画の価値が高いわけ

ここで版画についてもう少しだけ触れておこう。近代以降は版画も印刷物から芸術作品に〝変容〟したので、1枚1枚にサインが書き入れられているケースも多い。サインは作家自身が監修したことを証明することにもなるので、経済価値の担保にもなる。さらにはエディションナンバーなるものが書き入れられ、限定部数の刷りであることが明示されるケースが多い。限定部数は市場における希少価値につながる。

モノタイプと呼ばれる1枚刷りの例を除けば、版画はそもそも複製品の集合体である。それがこうして「芸術」と認められているのは、極めて興味深いことだと思う。それは、複製であるかないかにかかわらず、あらゆるものが「芸術品」になりうることをも物語る。ただやはり、錦絵などの木版画に現代の印刷物とは違った味わいを持つマチエールがあることも確かで、複製であるにもかかわらず、ベンヤミンがいうところの「アウラ」があるように感じる。

筆者の家には、明治時代に復刻版として摺られた葛飾北斎の錦絵があるのだが、制作工程は江戸時代の北斎存命当時とまったく同じで、彫師と摺師の手を経たものゆえ、とても味わい深く、毎日見ていても飽きない。しかし、買ったとき、値段はわずか3000円だった。それを考えると、市場価値の中で芸術性が占める部分はかなり小さいのだろうとも思う。一つの型から鋳造されるブロンズ彫刻や写真なども同じく複製芸術だから、似た問題がつきまとう。その際に重視されるのは、作家本人が監修したかどうかだ。実は筆者の自宅に、フランスの著名画家アンリ・マティスの版画が1点あるのだが、作家の没後の刷りだったのでわずか1万円で買えた。作家自身が監修したものだったなら、数十倍以上はしただろう。それでも、とてもありがたく鑑賞している。逆に考えれば、それほど大きなお金を出さなくても、質の高い芸術品をコレクションして芸術性を享受するのは可能なのである。これは素晴らしいことだと思うのだが、いかがだろうか。

贋作はどうやって見分けるのか？

実はこの問いについては、詳しく答えることができない。その方法を公開すること自体が、贋作の増加につながり得るからだ。贋作者たちは頭がいい。こうした情報から贋作識別のポイントをすり抜けるような新たな贋作を作ろうとするのである。

違いは細部ほど現れる

その中で、比較的オーソドックスな方法を少しだけ開陳しておこう。江戸時代以前の障壁画などを見極める際には岩などの細部に目を向ける。たとえば太い樹木などのメインのモチーフよりも、岩のような周辺部分に画家の個性が出ているという。狩野永徳の描いた岩と、長谷川等伯《はせがわとうはく》の描いた岩には、それぞれの特徴がごく自然に出ているというのである。特に江戸時代以前の絵画の鑑定については、悪意のある贋作というよりも、それが狩野永徳なのかそれとも周辺の画家なのかを見極めるような事例が多い。そうした場合に、周辺部分に表れる画家のちょっとした個性は、判断の大きなよりどころとなるわけである。

大変興味深いことに、西洋にも類似した絵画の鑑定方法があるという。「モレッリ法」と呼ばれている。19世紀のイタリアの美術史家のジョヴァンニ・モレッリという人物が考案した鑑定方法だ。たとえば人物を描いた場合に手の指先や耳などの細部にその画家の無意識の癖が表れることに着目したのである。

贋作の中には細部まで細密に写したものもあるので、判断はなかなか難しいことが多いと思われるが、人の癖は自分では気づかないちょっとしたことに出るものである。鑑定にも役立つ場合は多々あるだろう。

偽物かどうかは断定できても、本物かどうかは断定できない

X線などを利用した「科学鑑定」という言葉には、万能を感じさせる響きがある。

しかし、美術分野における科学鑑定にはこれまで決定的な欠点があった。偽物であることは断定できたとしても、本物であるとは断定できないことだ。たとえば、絵の具の素材を分析してそれがその画家が描いた時代には使われていなかったものであることが判明した場合は、贋作と判断する大きな材料になりうる。しかし、その時代に使われた固有の画材がその絵で認められたからといって、それだけで本物だとは言えない。当時のほかの画家が描いた可能性があるからだ。

とはいえ、科学技術は日進月歩である。以前に比べれば、ずいぶん美術分野での利用価値は高まっている。真贋鑑定とは異なるが、近年の興味深い科学調査の例を一つ挙げておこう。2018年春に、ポーラ美術館が所蔵するパブロ・ピカソの《海辺の母子像》(1902年)という作品に関して、「ハイパースペクトル・イメージング」という非破壊検査が行われた。この作品のカンヴァスにはもともと別の絵が描かれており、《海辺の母子像》はその絵を塗りつぶすようにして重ねて描かれていた。当時のピカソはまだ売れない画家であり、カンヴァス代を節約するための処置だったようだ。この非破壊検査では、赤外線の反射光によって、絵の具に含まれている鉱物がわかるという。そして浮かび上がってきたのは、2層の絵の真ん中に存在していたフランス語の新聞の活字のインクだった。インクに特定の鉱物が含まれていたため、文字がくっきりと見えたという。つまり、ピカソのこの絵の中には新聞の残滓としてのインクが挟まっていることがわかったのだ。しかも、データベースとの照合によりそれがどの新聞に掲載されたいつの記事かまでわかった。これは年代の特定などに非常に大きな力を発揮した。発見された新聞は1902年のものであり、ピカソはちょうどこの年にパリから故国であるスペインのバルセロナに一時的に戻っていた。これらのことから、ピカソはバルセロナに戻るときに新聞紙にくるんで旧作を持ち帰ったと推測される。歴史の一端の解明へのヒントが、科学調査によって提示されたわけだ。

作品の謎は修復時に解明される

実は従来は、こうした絵の具の分析というのは、一見科学鑑定の基本であるように思われながらも、行うこと自体がかなり難しいことだった。破壊してサンプルを取る必要があったからだ。しかし一般的には、鑑定のために絵画のほんの一部であっても削り取るなどの破壊を行うことは、倫理に反することとして許されていない。したがって、解明が一気に進むのは、多くが修復時だった。分析できるような作品の断片を手にできることが多いからだ。技法を秘密主義にしていた画家の藤田嗣治の独特の下地について、ベビーパウダーのようなものを混ぜていたことが解明されたのも、作家の没後30年以上が経って作品の大掛かりな修復が行われたときだった。そう考えると、非破壊検査で素材の分析ができるようになったのは、大きな躍進である。一方で、筆致など画家の個性については、鑑定者の経験と勘に頼らざるをえない部分は相変わらず大きい。

そうした状況の中で、近年ではレオナルド・ダ・ヴィンチの絵画かどうかを鑑定する際に、絵の具層の構成や独自の点描手法などを明らかにした科学調査の結果から、「ほかの画家ではありえないほど細密である」という判断のもと、真作である可能性が高められた例がNHKの特集番組で紹介されていた。いかに画家の個性を確かめられるような細密な検査ができるようになるかというところに、科学鑑定の進展の鍵がありそうだ。

真贋鑑定の拠り所になるカタログレゾネ

「カタログレゾネ」という書籍がある。美術業界ではしばしば「レゾネ」と略して使われる。「全画集」と訳されることもある。世の中には少し有名な画家なら必ず画集があるものだが、そうしたものとはどう違うのか？「レゾネ」は、真贋鑑定に使われる。そのため、歴史的な画家の場合には、一般に調査・編纂に数十年をかけると聞く。ゴッホやピカソなど西洋の主だった画家については多く出版されており、日本でも、一部の画家については存在する。

フランス近代の画家のラウル・デュフィをテーマにした記事を書くため、数年前にパリに住む専門家、ファニー・ギヨン＝ライファイユさんのもとを訪ねたことがある。父親のモーリス・ラファイユさんはデュフィの研究者で、数十年をかけてデュフィの約３０００点の油彩画を掲載した5冊組のレゾネを１９６３年に出版したという。ファニーさんはその遺志を継ぐ形で、デュフィの水彩画のレゾネを編纂、現在も素描やパステル画のレゾネを編纂中という。親子2代にわたって研究を続け、レゾネを発行するとは何たることだろうと感心する。レゾネの出版とは、それほどの「大事業」なのである。

カタログレゾネがモノクロの理由

レゾネは鑑賞のための書籍ではないので、たとえば絵画に何が描かれているかといった解説や背景等の知識に関しては書かれていないことが多い。作品のサイズや技法などの情報は載っているのだが、普通の画集と少々違うのは、図版がモノクロであるケースが多いことだ。なぜか？　そこには確固たる理由がある。世の中の出版物の色の再現性が必ずしもいいとは限らないからである。出版や業務としての印刷の現場に携わったことのある者ならしばしば遭遇するのが、色調整の大変さである。実際より赤みを帯びたり青みが強くなったりということが起きるのは日常的な光景である。これは、絵画等の美術分野においては極めて重大な問題となる。美術書籍においては、本物に近い色を再現することが、本来の役割とも言えるからだ。

しかし、たとえばある画家の画集を出版しようとするとき、ほぼ解決が不可能な問題に直面することになる。写真等の色の調整は通常、色校正という作業を通じて行われる。それが風景や人物の写真であるなら、忠実さよりも美しさや鮮やかさが優先されるのが常だ。

ところが美術作品の場合はそうはいかない。美術作品にとって色は極めて重要な要素であり、忠実な再現こそがその美術家の表現を読者に伝えることにつながる。その際によりどころとなるのは、本物の絵画と色校正紙を見比べることだろう。しかし、たとえばモネにしてもピカソにしても、作品は世界各地に散在し、さまざまな美術館やコレクターが所蔵している。多くの土地に出かけることや所蔵者に見せてもらう段取りなどを考えれば、現実に本物と見比べるのは不可能に近い。したがって、画集では必ずしもオリジナルの作品の色を忠実に再現したとはいえない図版が掲載されているのが常である。これがまだ通常の画集であれば、編集者はそれらしい色を想像して掲載を許容することになる。読者もまた、画集を見てそれなりの色で作品を楽しむことになる。しかし、レゾネの場合は少々状況が異なってくる。真贋鑑定に使われる書籍であるだけに、とにかく本物に忠実である必要がある。ここで嘘の情報が載っていると、むしろ見る者の目を惑わせることにもなりかねない。それならば、むしろ色を載せないモノクロのほうがいいのではないか、というわけだ。

テクノロジーの進化がもたらすもの

筆者は新聞記者時代に美術関係の記事に作品写真を載せたときに、東京版と関西版で大きな色の違いがあることを何度も目にしてきた。ことにスピーディーな報道を基本とする新聞の場合は色校正の機会があまりなく、印刷は地域によって異なる工場でされるため、仕上がりも異なってくる。それでも大きな美術特集の記事等の場合には、締め切りを早めて各印刷工場に色見本を送り、できるかぎり忠実な印刷をしようという努力はされてきた。だが、そこまで手をかけられないニュース記事などに関しては、色についてはある程度本物とは違う例が発生するのはやむを得ない状況であることが身に染みてわかった。

しかし、忠実な色校正は本当に不可能なのか？　それができればレゾネのあり方が大きく変わるはずだ。その点において最近感心しているのは、スマートフォンのｉＰｈｏｎｅで撮影した画像を同じアップル社製のパソコンであるＭａｃで見たときの色の再現性の高さだ。まず、館内で撮影が許されている西洋の美術館などで撮影したｉＰｈｏｎｅの画像をディスプレイでその場で見ると、比較的忠実に色が出ていることを多く経験する。そして、同じ画像をＭａｃで見たときに、ｉＰｈｏｎｅのディスプレイで見る画像と色が近似していることが確認できるのである。これは、画集を編集するときの色校正に使えるのではないかという可能性を感じた。ＡＩがレンブラント風の絵を描くなど、科学技術の進展は著しい。それがレゾネにどのくらい使えるかについては専門家の意見を聞いて吟味する必要があるが、少なくとも色が忠実に再現されたレゾネが出版されれば、鑑定にも大きく寄与することになるのは間違いない。それは逆に、より巧妙な贋作の出現にもつながりうることにも注意を向けておいたほうがよさそうだ。精巧な肉筆浮世絵に人々が騙されたように、テクノロジーは真作と見分けがたい贋作の登場に寄与する可能性を多分に秘めている。

鑑定を依頼するといくらかかるのか

鑑定は難しい仕事である。その道数十年の研究者が鑑定者となる……普通はこう考えないだろうか。これは原則としては間違っていない。たとえば2008年に江戸時代の画家、伊藤若冲の《象と鯨図屏風》が東北地方の旧家から発見されたときには、美術史家の辻惟雄さんが「鑑定」をし、筆遣いなどから真作と認めた。当時、新聞などで報道され、話題になった例だ。専門としている作家の多くの作品の実物を自分の目で見てきたことにより、作家の特徴を把握し、鑑定眼を持つにいたったわけである。

しかし日本では、特に近代以降の画家になると話が違ってくる。主だった画家や工芸家の作品の鑑定のための組織が存在するのである。名称は、東京美術倶楽部鑑定委員会。日本画家の伊東深水《いとうしんすい》、上村松園《うえむらしょうえん》、片岡球子《かたおかたまこ》、洋画家の青木繁《あおきしげる》、長谷川利行《はせかわとしゆき》、藤田嗣治、安井曾太郎、陶芸家の荒川豊蔵《あらかわとよぞう》、富本憲吉《とみもとけんきち》など、かなり多くの作家を扱っている。鑑定料金は、鑑定証書の発行を含めて絵画が4万～8万円、工芸が3万～

5万円（2020年4月現在）。割高な印象はない。母体の東京美術倶楽部は、実は美術商の集まりである。実際に鑑定をする委員も、基本的には美術商である。公的な鑑定を美術商が行うというのは、美術と経済が結びつく事象としてなかなか興味深いことだと思う。

美術商は百戦錬磨。多くの作品を実際に取引し、ときには贋作を扱う羽目になって痛い思いをすることもある。贋作であるかそうでないかが自分の利益に直結するだけに、鑑定にはシビアにならざるをえない。何しろ、有名画家の作品の贋作をつかまされれば、下手をすれば数百万〜数千万円の損失につながるので、さまざまな知識や経験を総動員し、細心の注意を払って作品と対峙せざるをえない。それゆえ鑑定眼が鍛えられるというわけである。

この鑑定委員会のもう一つの力として大きな存在感を見せているのが、鑑定証書の発行である。「東京美術倶楽部の鑑定証書がつけば、万が一偽物であっても、本物と同じように市場で扱われる」と言う人もいるほどだ。

画家の遺族が鑑定に携わるケースもある。実際に、各画家のアトリエで制作される様子や作品を数多く見てきた経験がものを言う、との発想による。たとえば、1958年に亡くなった日本画家の横山大観についてはかなり長くの間、妻の美代子さんが鑑定に携わってきた。

ただし一般論として、遺族の鑑定が万全とは言い切れない場合がありうることについては、ある程度想像がつくのではないだろうか。その画家の作品をいかに多く見てきたかというのは、大事なポイントであるとは言える。一方、いくら画家のそばで暮らしていたとしても、すべての作品制作を見続けることは不可能だろうし、遺族が美術の専門家でなければ、鑑定の際に見るべきポイントを把握しているかどうかには疑問が生じる。また、先述の東京美術倶楽部鑑定委員会などにおいても、委員のすべてがすべての作家の作風に精通しているとは考えにくい。作家ごとに見極めを得意としている委員の判断が重視されるのはやむをえないだろう。

《海辺の母子像》

20世紀を代表する画家として知られるパブロ・ピカソ（1881〜1973年）は、美術の世界に衝撃的な革新をもたらしたキュビスム※を生み出す前の時代にも、印象深い作品の数々を残している。《海辺の母子像》は、ピカソがまだ無名でスペインのバルセロナとパリを行き来していた頃に描いた「青の時代」（1901〜04年）と呼ばれる時期の作品だ。バルセロナの海岸を描いたものだという。また、当時ピカソは、親友の死に接し悲嘆に暮れていたという。

深い青は、心を落ち着かせる色である。近年は、日本の鉄道の駅のホームで、自殺防止のために青色灯が設置されていることがあり、実際に効果が上がっているという統計的な調査結果も存在する。1世紀以上も前の時代に、ピカソはカンヴァスと向き合いながら、どうすれば心を鎮められるかを、自分の感覚で探っていたのだろう。この作品を購入したポー

※ 単一の視点からではなく、複数の視点で対象を描く手法。一つの画面にさまざまな角度から見た対象が描かれる。ピカソやジョルジュ・ブラックらにより20世紀初頭に起こされた前衛芸術運動。

ラ社長の鈴木常司さんがしばしばこの絵と向き合っていたのは、さまざまな場面で大きな責任を負う企業の経営者の心の内をも垣間見せる。

筆者は以前、バルセロナのピカソ美術館を訪れたときに、たくさんの「青の時代」の作品を見た。部屋は、静謐に満ちた独自の空気をたたえていた。多作だったピカソの作品は日本にも多いが、「青の時代」の作品はあまり見る機会がない。それゆえ《海辺の母子像》は貴重である。描かれた女性は、はたして何を祈っているのだろうか。

1902年、81・7×59・8センチ、油彩、カンヴァス、ポーラ美術館蔵

贋作が生んだ美術市場の歪み

明治以降の美人画を中心に日本美術の優品をたくさん集めてきたあるコレクターから、こんな話を聞いたことがある。

「私のところには、たくさんの業者さんが美術品を持ってやってきます。中には贋作もたくさん含まれています。しかし、贋作であることがすぐにわかっても、それを指摘して弾き出すようなことはあまりしてきませんでした。だめな作品を弾いてしまうと、業者さんは寄り付かなくなってしまいます。そういうものを含めて、たくさん持ってくる中に、本当に素晴らしいもの、宝物が含まれているからです」

そして、そのコレクターは贋作とわかった作品を、たとえば「風呂の薪と一緒に窯の中で燃やす」などして処分してきたという。なかなか時代的なエピソードである。

また、自分で鑑識眼を持っていなければ、できないことである。しかしここには、美術品を収集するということに関して、決して避けることのできない本源的な現象を見ることができる。贋作だけでなく模写や類似した作品、一派に属する作品などを含めた膨大な美術品の中から、芸術的にも真に価値のある作品を集めるには、広い構えをしておく必要が、コレクターにはあるのである。

売りやすいのは贋作の可能性が少ない作品

美術品は、古いほうが真贋鑑定が難しいのが一般的だ。古いほど鑑定のよりどころとなる資料が乏しくなるという事情が大きい。言葉の真偽を確かめるには至らなかったが、ある古美術商を取材したときに「市場に出回っている縄文土器の4割くらいは贋作です」という話を聞いたことがある。考えてみれば、現代でも縄文時代と同じように縄文土器をそれらしく制作するのは、それほど難しいことではないだろう。

また、江戸時代の錦絵を今の時代に同じ制作方法で作り、線香を使ってわざと虫食い穴をあけることで、古く見せるといった手法による贋作もあると聞く。古美術の贋作に古びは必須である。江戸時代以前に作られた古美術には、その時代の贋作もあれば、現代になって作られた贋作もある。先述したように、贋作と意図されたものでなくても、模写や弟子筋の作品の中から真作を峻別しなければならないことも多い。画家本人だけでなく、その画家の工房で手がけた場合も多々ある。美術作品が芸術家個人によって作られることが一般的になった近代以降の作品については、多少峻別が容易になる。それゆえ贋作のリスクは低くなり、美術市場として扱いやすいという側面もある。欧米で古典絵画よりも近現代の作品のほうが美術市場が大きいこと、日本でも江戸時代以前の美術よりも明治以降の美術のほうが扱われやすいことなどには、そうした理由が大きく関わっていると考えていい。

美術市場を作りあげる経済力

本来は、古いものほど手に入りにくくなる。一般的な市場原理から考えると、手に入りにくくなるもののほうが値段は高くなる。しかし美術市場では必ずしもそうなっていない。古いもののほうが贋作のリスクも高まるからだ。近現代美術の市場が古美術に比べて大きいのは、そうした事情にもよる。

さらに考えられるのは、経済力を持つ人々の論理が美術市場をも支配するケースがあることである。端的に物語るのは、戦後米国の美術市場である。

ジャクソン・ポロック、アンディ・ウォーホル、ロイ・リキテンスタインなど、戦後の米国はそうそうたるスター作家を美術の世界でたくさん生んだ。あえてここで「美術市場で」とはせずに「美術の世界で」としたことには、わけがある。背景に、米国の国民が自分たちの文化を育てたいという希求があったという分析ができるからである。米国は第二次世界大戦の戦場とならなかったこともあって戦後の経済を牽引する存在になったのは、周知の通りである。ところが、足りないものがあった。文化の歴史だ。欧米からの移民が構成した国であるだけに、自分たちの文化への渇望は大きかったのだろう。しかし、存在しない歴史を過去にさかのぼって作り直すわけにはいかない。そこで起きたのが、強い経済力を背景に新たに文化の歴史を作ろうという強烈な蠢きだった。幸いなことに、大戦下でその土壌はできつつあった。画家のピエト・モンドリアン、マルク・シャガールや作曲家・ピアニストのセルゲイ・ラフマニノフなど、多くの文化人が戦災の難を逃れてヨーロッパから移住してきたり一時的な避難をしてきたりしたのである。経済力が、文化の隆盛を後押しする。アメリカン・ドリームを成し遂げたとてつもない金持ちたちが、美術品を買うようになったのも必然の理だった。シドニー・ジャニスやラリー・ガゴシアンなどニューヨークにはたくさんのギャラリストが登場し、新しい美術家たちが育つための環境ができつつあった。クレメント・グリーンバーグなどの批評家が、新聞などの媒体に批評記事を多く書くようになった。こうして、ニューヨークは現代美術の一大市場を形成するに至る。

意図された値上がりで現代美術市場が形成された

池上裕子さんの論考「ポロックとマーケット――抽象表現主義の価格形成」（『西洋美術研究』No.19に収録）によると、戦後ニューヨークで美術市場が活況を呈するきっかけとなったのは、ジャクソン・ポロックの突然の死にあったという。米国の現代美術家の中では、ポロックは戦前から芽を出しており、比較的古株だった。戦後になって、たとえば資産家のペギー・グッゲンハイムがパトロン的役割を果たすなど、作家として堅調に育つ兆しを見せていた。１９５０年に描いた《秋のリズム（ナンバー30）》と題された作品は、その後ポロックの代表作の一つになった。ところが、この作品は描いた当時扱っていたシドニー・ジャニス画廊が８０００ドルで売ろうとしたけれども売れなかったという。そのポロックが、１９５６年に自動車事故を起こし、突然この世に別れを告げてしまう。享年44。あまりにも若すぎる死だった。

そして、その没した年に美術市場での出来事は起こった。ポロックの妻クラズナーが、「《秋のリズム》は3万ドルでなければ売らない」と主張する。没したことにより作品の供給が途絶えることを考えれば、値上がりは市場原理としては自然である。しかし、それが遺族によって意図されたこと自体が興味深い。そして、同じニューヨークのメトロポリタン美術館が《秋のリズム》を購入したのである。池上さんの分析によれば、この出来事が起こって以降、ほかの米国の現代美術家の作品も値上がりを始めたという。

こうした現象は、経済力のみによるごり押し的なものだったのだろうか。決してそうとは言えないのではないかと、筆者は考えている。現在ではヨーロッパの美術館でも日常的に戦後米国の現代美術作品を見ることができる。ヨーロッパも米国美術の価値を認めているのである。経済力は、あくまでも美術の世界を広げるための後ろ盾だったと考えてもいいのではないだろうか。

《秋のリズム（ナンバー30）》

カンヴァスを床に置き、絵の具を筆で直接塗るといった通常の画家の手法を採らずに絵の具を撒き散らす「ドリッピング」は、20世紀半ばの米国で美術史の重要な局面を開く先駆けの画家となったジャクソン・ポロックの代表的な技法である。2011年から12年にかけて愛知県美術館と東京国立近代美術館で日本初の本格的な回顧展が開かれた。筆者は東京会場に出かけたときにはじめてポロックの実物と接する機会を得た。作品と対峙して、ポロックの特殊な描き方が生んだ独自の主張が生々しく目に飛び込んできたのを記憶している。

《秋のリズム（ナンバー30）》は「ドリッピング」や「ポーリング」※を用いた代表的な作例の一つだ。ポロックがこうした技法に挑み始めたのは1945年、すなわち第二次世界大戦終戦の年だったという。戦後まさに現代美術の世界をリードすることになる米国の美術界が展開する発端

※ドリッピングと同様に空中から絵の具を垂らして線を描く技法のこと。

1950年、266×528センチ、油彩、カンヴァス、メトロポリタン美術館蔵

写真:Alamy/アフロ

となったと見ていいのではないだろうか。

欧米の絵画は通常イーゼルにカンヴァスを置いて描く。ポロックがカンヴァスを床に置いて描くようになったきっかけは、アメリカ先住民の砂絵に触発されたことにあると聞く。一方でポロックは米国において日本の書家の活動にも接する機会があり、その描き方や表現にヒントを得た可能性もありそうだ。

COLUMN

ブロンズ彫刻に「オリジナル」は存在するのか？

2010年、東京藝術大学大学美術館で、明治時代の著名な彫刻家、荻原碌山《おぎわらろくざん》の作品を取り上げた興味深い展覧会が開かれた。展示の主要作品は、碌山が没した1910年に制作された《女》。作家の代表作として知られる裸体の女性像である。膝立ちをしながら体をくの字に曲げて上を見上げるポーズは造形的で、見る者を引きつけてやまない。

この展覧会には何と6体もの《女》が展示された。中心となった作品は、ブロンズ彫刻を制作するために碌山が手掛けた石膏製の原型だ。実は、この原型を作った後、碌山はブロンズ作品を鋳造する間もなく急逝する。展示作のうち1体は、碌山が亡くなった直後に碌山の兄の依頼で鋳金家が鋳造したブロンズ像、別の1体は碌山が没した44年後に鋳造されたものだった。そのほか、3Dスキャナーでスキャンし、3Dプリンターで制作した作品なども展示されていた。

これらの中で作家のオリジナルとはっきり言えるものは石膏製の原型だけである。鋳造を作家自身が監修していない以上は、オリジナルとは言い難いからだ。とはいっても原型はあくまでも原型であって作品ではない。手で彫り出す木彫や石彫とは違って、ブロンズ彫刻は原型から作った鋳型の中に溶けた素材を流し込んで固める。同じ鋳型から複数の作品ができる。ブロンズ彫刻においては作品のすべてが複製なのである。しかし、複数存在するブロンズ彫刻はどれも素晴らしい輝きを放ち、碌山の作品として扱われている。「オリジナル」とは何なのかを深く考えさせられる事例である。

第6章

美術作品の流動性を支える仕組み

美術品の価格を構成する要素を知る

そもそも美術品の価格はどんな要素で構成されているのだろう。たとえばパソコンのような量産品の消費財であれば、ボディに使っている金属などの素材や回路、ディスプレイなどの部品の材料費、工場の運営にかかる経費、卸売や小売店に運ぶ輸送費、それぞれの場で働く人の人件費やそれぞれの利益などの集積をもとに損益分岐点を計算し、販売個数や単体の価格が割り出される。

絵画の原価と価格体系

では絵画はどうなのか。岩絵の具を使って抽象表現の世界を切り開いてきた日本画家の武田州左《たけだくにさ》さんに話を聞くと、「何も持っていないところから準備を始めるとして、40色くらいの岩絵の具、筆や刷毛、乳鉢などの道具類を含めておおむね10万円くらい、描く媒体としての和紙に数千円〜数万円といった材料費が必要」とのこと。もっとも、200グラムで6万円近くもする天然素材の「群青」のような絵の具もあり、いい材料で描こうと思えば、それなりの原価がかかるようだ。とはいえ、「ふだん描くのにそんなに値段は意識しません」という。近年の武田さんの作品は鮮やかな岩絵の具を点々と並べて置いたような表現で、まるで絵の具の博物館を画面で実現したような趣だ。絵の具自体もそれほど頻繁に買い足すようなものでもなく、よほど特別な素材を使わなければ、そこそこの原価で収まりそうだ。ただし美術家はフリーランスであることが多く、必要経費は原則自分持ちである。たとえば、一般の商品で工場に当たるのは、画家のアトリエだ。大作を描くには大きなアトリエが必要になり、やはり光熱費などの必要経費が発生する。描きためた作品を保管する場所代も必要だ。その分を、原価に上乗せする必要がある。

また、画家から作品を買い取ったり預かったりして客との売買をする美術商の経費や利益を売り上げから捻出する必要がある。以前ある美術商に聞いた話では、画家に支払う画料は売価の3分の1程度とのことだった（ただし、販売形態や契約条件によってずいぶん異なるケースがあることをお断りしておきたい)。そう考えると、パソコンと絵画は商品として見た場合には大差ない存在とも映るかもしれない。しかし、両者には根本的な違いがある。絵画の場合は、再販売が普通に行われることだ。それも「中古品」という捉え方はされない。売買が繰り返される場合に値上がりするケースがしばしばあるのは、これまでの章で見てきた通りだ。それは経費の「積み上げ」をもとに単価が決まる一般商品とは違った価格体系の存在を意味する。

美術品の価格に影響を及ぼすコレクターの存在

絵画などの美術品には、もう一つ、価格にかかわる大きな要素がある。金に糸目をつけずに買うパトロンやコレクターが存在するケースがしばしばあることである。本書を執筆するにあたって取材するなかで、歴史的な話として、わくわくするような事例を聞いたので紹介しておこう。

その作品は、江戸時代前期に素晴らしい絵画の数々を残した絵師、俵屋宗達の《風神雷神図屏風》だ。宗達がこの絵を描いたのは17世紀前半のこと。約1世紀後の18世紀半ばに尾形光琳が、さらに時代が下る19世紀前半に酒井抱一が、師弟のようなつながりもないのに私淑して模写したことでも知られる名作だ。

宗達のこの作品について、筆者は以前から、「なぜこんなに開放的な絵画が寺という宗教施設にあるのだろう」と不思議に思っていた。寺にある美術品といえば、普通は釈迦や観音などを表した仏像や仏画だ。風神雷神ももとをたどれば中国の敦煌莫高窟に描かれたモチーフなどにルーツを見ることができるが、さまざまな像が並ぶ中でこの2体だけをクローズアップしてまるでヒーローのように表現しているのは極めて斬新である。そして、描かれた背景を調べているうちに、江戸の経済事情に淵源があることがわかったのだ。

宗達の《風神雷神図屏風》は、二曲一双という二つ折りに畳める屏風2体を並べた作品である。金箔貼り画面の右3分の1くらいに大きな風を吹かせる風神が、左3分の1くらいに太鼓を打ち鳴らす雷神が、まるでアニメのキャラクターのようにユーモラスな風体で描かれている。国宝などの日本の古美術品の修復を長年手掛けてきた半田九清堂の半田昌規さんに話を聞いて、実は絵を描く前の屏風自体が贅を尽くした作りをしていることがわかった。半田さんは、「木目の細かい良質の木材を使った木枠は高い技術を持った指物師が手掛け、金具の金工や和紙による裏張りにもすばらしい技が見られる。金箔もむらがなく端正だ。今の技術で作っても100万円くらいはかかることが見込まれるが、当時の職人の水準の高さを考えると、おそらくもっとずっと金をかけていたのではないか」という。呼応するのが、絵の注文主をめぐる推論だ。

この絵の当初の所蔵者は、現在の所蔵者である京都の建仁寺ではなく、同じ京都の妙光寺だったという。その妙光寺は当時荒れており、打它公軌《うつだきんのり》という人物が再建した歴史を持つ。打它は、宗達と同時代を生きた豪商であり、妙光寺の再建自体が、風雅な遊びの空間に仕立てるためだったという。宗教施設に設えられた調度品とはやや異質なにおいがしたのはそのせいだったのかと合点したのである。宗達が描いたのは、伝統的な宗教画でも質素を尊ぶ禅画でもなかった。金に糸目をつけずに典雅な作品を収めようとした意志が感じられるのである。具体的な金額はわからないが、材料に金をかけただけではなく、宗達にもそれなりの報酬が支払われたのではなかろうか。

仏教美術の宝庫だった江戸時代

ところで、20世紀前半の歴史学の世界では、江戸時代は仏教が形骸化して僧侶が堕落したことが研究者によってたびたび指摘され、宗教としては衰退したと見られていた。徳川幕府がキリシタンを弾圧し、戸籍に準ずるシステムとして寺請制度を始めた結果、仏教寺院が行政の一部に組み込まれたことの余波が大きい。その後見直しは進んでいるものの、仏教美術の世界でも同じような価値判断が長く存在していた点にもあえて触れておきたい。というのは、仏教美術は早くから国宝などの文化財指定が多かった分野なのだが、高く評価されてきたのは奈良時代から室町時代くらいのものがほとんどで、江戸時代の仏教美術には長らく光があたっていなかったからだ。

そもそも仏教美術といえば釈迦如来などをモチーフにした仏像や仏画が主たるものである。しかし、江戸時代の仏教美術の世界を改めて俯瞰すると、落書きのような描写が親近感を呼ぶ仙厓義梵《せんがいぎぼん》、ナタで彫ったような荒削りを特色とした円空の仏像など、それまでの時代にはなかったユニークな表現が際立つ。伊藤若冲は僧侶ではなかったが信心は深く、京都・相国寺に「動植綵絵《どうしょくさいえ》」30幅を寄進、晩年にはやはり京都の石峰寺に五百羅漢石像を残している。俵屋宗達の《風神雷神図屏風》については、通常は仏教絵画という認識で臨むことはあまりないかもしれない。しかし、こうした仏像や仏画の数々は、仏教寺院が宗教の場として成立していたからこそ生まれたものだ。そして、江戸時代の仏教美術の世界は、進取の気性に富んだ表現の宝庫だったことがわかる。

《風神雷神図屏風》

所蔵者である京都の建仁寺に行くと、この作品の複製が飾られている。原本は京都国立博物館に寄託されており、時折期間限定で展示される。同館には仏像や仏画などたくさんの仏教美術作品が寄託されている。保存・保護の観点から考えると、美術品として貴重なものについては、所有する寺社としても環境の整った博物館に預けておくほうが安心である。それらの文化財保護のために同館の前身である帝国京都博物館が開館したのは1897年。明治末期にはすでに1000件を超える文化財を受け入れていたという。建仁寺もまたほかの多くの寺と同様、戦前から所蔵品の寄託を進めていたようだ。

ただし《風神雷神図屏風》は例外だった。建仁寺はこの作品については寄託をせず、寺で保存を続けたのである。まるでマンガのキャラクターのような風神と雷神の姿はユーモラスで親しみやすい。愛着があり、

大本山建仁寺蔵　画像提供：東京国立博物館　Image: TNM Image Archives

17世紀、紙本金地著色、各154・5×169・8センチ、京都・建仁寺蔵、京都国立博物館寄託

手放したくなかったのだろうという推測も成り立つ。しかし、1934年の室戸台風で寺の方丈が倒壊したこと、第2次世界大戦では戦火に見舞われずには済んだものの大きな危機感を抱いたことなどから、終戦翌年の1946年に帝国京都博物館が改称した恩賜京都博物館※にこの屏風を寄託した。それもまた、この屏風への愛着から生まれた行為だったのだろう。

※1952年に京都国立博物館に改称。

美術作品の流通を支える美術商

美術作品も、経済の視点で見れば「商品」である。実は筆者は以前、美術市場に関する報道を編集方針にした美術雑誌の編集部に在籍していたころ、美術作品を〝商品〟として見ることに大きな抵抗を持っていた。その雑誌は「美術品には資産価値がある」というキャッチフレーズをうたうこともあり、解せない何かを感じていた。

しかし商品である以上、美術作品は流通する。仕組み自体はそれほど複雑ではない。生産者たる美術家がいて、卸売りや小売りの役割を担う美術商が存在し、購入者としてコレクターや美術館が存在する。普通の消費財と大きく違うのは、いったん売られた「商品」がオークションなどを通して再流通しうることだろう。再流通を経て数百年もの間、存在し続けてきた美術品は現実に多い。「資産価値」もその現実に付随して発生する。そうしたことを考えれば、流通のあり方は重要である。昨今は、美術館の収蔵品でも再流通するケースが生じている。ここで少し青いことを言うと、美術品は愛されるべき物である。それだけに、〝愛〟をないがしろにしない形での流通が望まれる。

美術商は顧客が4人いれば成り立つ

「顧客が4人いれば、美術商の仕事は成り立つ」

こんな話を聞いたことがある。4人というのは大雑把な数字にすぎず、少々乱暴な物言いだろうとも思う。しかし、数百万円以上の高額な美術品を常日頃から買い集めている裕福なコレクターを顧客として持つことができれば、それ以上の売先を抱えなくても商売が成り立つというのは、おかしな話ではない。もっと極端な話をすれば、顧客は大金持ちのコレクター一人でも成り立つケースがあるに違いない。ただし、顧客の気まぐれや関係の変化、経済状況の悪化などに対するリスクを考えると4人程度はいたほうがいい、というのがこの話の落ち着きどころだろう。美術商が儲かる商売なのかどうかは、自分の鑑識眼だけでなく、少なくとも4人程度の優良な顧客を安定して確保できるかどうかにもよりそうだ。

これは、1点ものの高額商品が流通することを前提とした美術業界ゆえの経済原理に基づいた考え方だ。茶道具などを除けば美術品は原則的に〝鑑賞〟が用途で、実用的な機能を持っているわけではないから、そもそも「性能」というものが存在しない。スペックや使い勝手の担う部分が大きいスマートフォンや自動車などのような量産前提の商品とは事情がまったく異なるのである。しかも、美術の世界では作家ごとに個性が異なること自体が重視されるので、作家によってまったく異なる作品が生まれるのは、当たり前のことである。ほかの作品では代替できないからこそ、高い価格がつく。逆に考えると、市場で高い評価を得た作品はある程度の金を出さないと買えない。これも美術品を巡る一種の宿命だ。

美術商は儲かるのか?

京都の街なかに画廊を構えたある美術商からこんな話を聞いたことがある。

「小さな店なのですが人通りの多い繁華街に面しているため、来客がとても多いんです。1日に1500人くらい来ることもある。ただ、ほとんどの人は作品を見るだけで買っていきません。相手をすることに忙殺されて、本来の仕事がはかどらないのが悩みです」

洋の東西を問わず画廊の多くは入場料を取らないが、来訪者が多いのは歓迎すべきことではなかった。美術品は見られてこそ意義があるので、来訪者が多いのは歓迎すべきことであるはずだ。しかし、この画廊の場合、来訪者のほとんどは、ただで見られる美術館のような気持ちで訪れているのだろう。美術商にとって大切なのは、見る人の数よりも買う人の動きということになろうか。

以前とは違って近年は、展示作品の価格をリストなどの形で明示しているギャラリーが増えている。ただしそれらは数万円から高くても数十万円程度ということが多い。一方で、それほど大きくなさそうに見えるギャラリーでも、億円単位の作品取引をしたような話を時折小耳に挟む。それがそのまま儲けにつながるとは言い切れないが、美術商が実は表からは見えにくいところで比較的大きな額の取引をすることによって経営を成り立たせていることに思いが及ぶ。極端な話、店舗なしでも美術商は成り立つ。小さな部屋を倉庫として確保し、無店舗で顧客のもとを巡って絵の取引をしていた人々を、以前は「風呂敷画商」と呼ぶこともあった（もはや死語に違いない）。

美術家はどうやって自立するか？

では、作品の作り手である美術家についてはどうなのだろう。ひょっとすると、美術商の場合と同じことが言えるのか。ここではそれを少し考えてみる。

才能のある美術家であっても、作品を売るだけで生計を立てている姿を見かける例はそれほど多くない。美大に勤めている筆者が知るかぎりにおいては、たとえば中学や高校の美術教員をしていたり、美大の助手をしていたり、そしてゆくゆくは美大の専任教員になったりすることが、美術家としての活動の支えになっているケースは多い。才能と知名度は比例するとは限らないし、先述した通り、そもそも美術を教えること自体には職業たる必然があるので、美術家が教育現場に身を投じることはごく自然な身の処し方である。中には自治体や財団の助成金を得て国内外各地でアーティスト・イン・レジデンス（滞在制作）や留学をする美術家もいるが、助成金は恒常的に支給されるわけではないので、何らかの方法での自立が必要になる。

美術家は作品をどうアピールする？

一方、美術家が美術市場で自分の作品を扱ってもらえるようになるためには、そんなにたくさんの人々に認められる必要はない。経済面でいえば、気に入ってくれた少数のコレクターが長く堅実に買い支えてくれることが、美術家として生き延びる道につながるはずだ。ただし、世の中はそんなにうまくいかないのが常である。先述したように、先鋭的な美術はなかなか人々の目には留まりにくいし、世の中の価値観を先行しているため評価が定まりにくく、値段もつきにくい。そうした中で、美術界を支えることのできる層の人々の目にどうすればそうした作品や作家の存在価値をアピールできるのか。難しい問題である。

美術を支える存在

そうした点で戦後の米国で大きな役割を果たしたのは、先鋭的なギャラリストと美術評論家の存在だった。米国で生まれた抽象表現主義などを高く評価したクレメント・グリーンバーグら美術評論家の評論文を新聞や雑誌、書籍などの媒体で目にしたコレクターたちが、先鋭的な現代美術ギャラリーを通して買うという、自国の芸術を支える構図ができたのだ。

日本の場合は、その辺りがうまくいっているとは言いがたい。戦後、東野芳明、中原佑介、針生一郎といった美術評論家はそれなりの実績を残してきた。だが、まず戦後の日本では、お金を出して美術品を購入するコレクター自体が少ないというのが実情だった。筆者が以前編集者・記者そして編集長を務めた時期があった『日経アート』（日経BP社発行）という月刊誌では、読者の7割以上がコレクターや美術商など美術品を購入する層だった。発行部数は、最高で2万部程度。同じく日経BP社が発行していた『日経ビジネス』などは同時期に30万部以上の発行部数を誇っていた。比べると、吹けば飛びそうな存在のように見ていた人もいただろう。実はこの2万人は極めて貴重な読者だったのだけれども、ここではそのことは脇に置いておく。『日経アート』誌の編集や記事の執筆をしながら実感したのは、やはり日本では「美術品を買う人が少ない」ということだった。同誌が発行されたのは１９８８年から１９９９年まで。足掛け12年の間だった。その頃は、美術商に会うたびに「日本にはコレクターが少ないですからね」という言葉を聞いていた。そして美術商たちの感想は今もさして変わらず、「日本人は美術品を買いませんね」と言われることが多い。最近、韓国のソウル、米国のマイアミ、スイスのバーゼルなど海外で開かれるアートフェアに参加する日本の美術商が増えているのも、国内市場が伸びていないことの表れである。

盛り上がりつつある国内の美術市場

翻って、少なくともヨーロッパでは、美術品の購入がごく普通に行われるということは言えそうだ。極めて小さな逸話を一つ紹介する。それは、筆者が大学で以前教えていた学生の話である。彼女は高校生のときに自分が描いた絵画作品を仲間内で開いた国内のグループ展に出品したという。無論、作家としての知名度はゼロだった。ところが、たまたまギャラリーを訪れた西洋人が彼女の作品を買ったというのである。気に入れば作家の知名度に関係なく買う。購入者が育った地域の文化だったのだろう。

現代の日本では、まだそうした文化が広く根付いているとは言い難い。

それでも日本にも、美術作品を売る画廊やギャラリーは多く存在する。買う人々がいることの証しである。近年は、精神科医の高橋龍太郎さんや元ＩＴ企業勤務で現横浜美術大学学長の宮津大輔さん、企業家の田口弘さん、サラリーマン出身の山本冬彦さんなど、美術品のコレクターがコレクションを美術館やギャラリーで展示したり、書籍を出版したりする例が増えてきた。一方で、「瀬戸内国際芸術祭」や「大地の芸術祭」といった現代美術関係の芸術祭を訪れる客も増えている。先ごろ表現の自由をめぐって社会問題にもなった「あいちトリエンナーレ」も、芸術祭の一つだ。客は作品を買わずに見るだけが基本のイベントとは言え、それぞれが数年に一度、数十万人単位での動員を実現しており、現代美術分野の裾野を広げているという点では見逃せない現象である。30年ほど前、筆者が美術分野の報道の仕事を始めた頃は、現代美術と言えば、草間彌生《くさまやよい》や森村泰昌《もりむらやすまさ》、李禹煥《リ・ウーファン》などそれなりの作家が先鋭的な活動していたにもかかわらず、ごく一部のファンたちの間で盛り上がるマニアックな世界のみで話題になる代物にすぎなかった。今や草間彌生は世界的な存在となり、国民的なスターにまでなっている現状を思えば、現代美術の世界が地殻変動を起こしているのは確実だ。隔世の感がある。国内の市場はさほど伸びていなくても、希望は大いにある。

キャッチセールスが投げかけた問題点

「キャッチセールス」という言葉が美術の世界を跳梁跋扈したことがある。街角で通行人に声をかけてギャラリーの中に誘い入れ、絵を買わせるという、少々強引な売り方をした一部のギャラリーの手法を指す。1990年頃のことだったから四半世紀以上前の話になるが、筆者が携わっていた雑誌の同僚記者が東京の繁華街で声をかけられ、ギャラリーの中に入ったことがある。道端で声をかけてきたのは、若い女性だった。中に入って椅子に座ると、担当者が話を始める。そこで扱っていたのは、当時有名だったある画家のカラフルな版画だ。価格は30万円くらいだっただろうか。サラリーマンでも少し背伸びをすれば買える価格帯だ。

担当者の言葉で印象的だったのは、「値上がりしますよ」という一言。クレジットカードでの購入や分割払いもＯＫ。その記者はキャッチセールスの現場がどんなところかを体験するために入ったので、購入はしていない。しばらくの間キャッチセールスを街頭で見かけ続けたところを見ると、実際にこうしたギャラリーで版画を買った人も結構たくさんいたのではなかろうか。また、今の時代でもこの種のギャラリーがまったくなくなったわけではないようだ。

キャッチセールスの作品は値上がりしたのか？

さてそのギャラリーで売っていた画家の版画作品が美術品オークションで扱われている資料を目にしたことがある。扱っていたのは、美術作品としてはジャンク品と思えるような低価格のものがたくさん並ぶオークションだった。セールスの現場では数十万円していたこの作家の版画が、そのオークションでは1万円から2万円程度で落札されている例が多数並んでいた。結果的には「値上がり」ではなく「値下がり」したことになる。

このセールスは、悪徳商法とは言い切れないだろう。特にネズミ講のような仕組みを持っているわけではないからだ。しかし、「値上がり」という言葉は美術に限らずこうした商法の常套句なので、常に疑ってかかる必要がある。またここで作品が販売されていた画家は現代の作家ではあるけれども、現代美術評論家たちが論じるような作品を制作していたわけではなかった。あえて言えば、評論家たちは絶対に取り上げることがないだろうと思われる平明な作品を制作していた。

キャッチセールスの問題点

このセールス方法には、本質的に問題視すべき点がある。当時は、美術品が本当に値上がりをしている時代だった。大昭和製紙元会長の斉藤了英氏がルノワールの《ムーラン・ド・ラ・ギャレット》とゴッホの《医師ガシェの肖像》をそれぞれ120億円以上で落札したばかりの頃だった。それまで1枚で100億円を超える絵のオークションでの落札記録は存在しなかったので、世の中での美術品の価格推移に対するインパクトも大きかった。だからこそ、美術品が投資対象として注目されたのだ。ただしそれは、サザビーズやクリスティーズといった国際的なオークションで流通している作品に関する話だった。それが、現代美術批評の対象にならないような作家にまで広がるかといえば、可能性は限りなく低いとしか言えない。街角でキャッチセールスをしていたギャラリーは、美術市場全体の雰囲気を巧妙に通りがかりの客に説明することで、説得を試みていたのである。

ここであえて30年前の話を出したのは、こうした思考が現代でも存在しうるからだ。人は金儲けの話に群がる。そして今、美術市場に目を向ける人が増えている。現象としては、美術品が「値上がり」することは頻繁にある。しかし、美術市場はかなり特殊な世界である。だから、常に冷静な目で観察し直す必要がある。

美術商とは何か?

さて、現代の美術商の話に戻ろう。美術商と一口に言っても、古美術商、画商、現代美術商などさまざまな種類がある。共通しているのは、美術品の再販を可能にする「古物商」の許可を自治体から得て営業をしていることだろうか。そのことにはまた、美術品を扱う商売の本質がある。普通の商品なら中古品は新品よりも値段が下がることが多いが、美術品の場合は逆のケースも多く、市場価値についてもその視点で考える必要があるからだ。

美術とビジネス

日本の古美術商は、もともと骨董店だったところが多いという。繭山龍泉堂や壺中居など東京の日本橋に散在する店舗を歩いて巡ると、歴史と格式を感じながら古美術品を眺める機会を得られる。戦後は近代以降の日本画や洋画を扱う画商が美術市場の中心に出てくる。横山大観などの日本画、梅原龍三郎や藤田嗣治（レオナール・フジタ）などの洋画を扱う美術商だ。錦絵の伝統から派生した版画を扱う版画商も日本国内では存在感をもって活動している。棟方志功、池田満寿夫、山本容子、浜口陽三、駒井哲郎、加納光於などオリジナリティのある作風を持つ版画家は日本には多い。国際的に見ると版画は複製技術と捉えられていることが多い中で独創を尊ぶ版画の世界が存在するのは、筆者は極めて好ましいことと考えている。

近年は、現代美術商が気を吐いている。少し前の時代までは、美術といえば絵画もしくは彫刻に限られていた。たとえばパフォーマンスをしたり展示空間との関係を強く問うインスタレーション作品を作ったりというような現代アートの展開は戦後すでに始まってはいたし、南画廊、佐谷画廊、南天子画廊、東京画廊等の現代美術画廊も存在はしていたが、一般社会のなかで現代美術に関する注目が本格的に広がり始めたのは、１９９０年代以降と筆者は見ている。その動きを牽引したのは、小山登美夫さんや佐谷周吾さん、三潴末雄さん、小柳敦子さんら気鋭のギャラリストたちだ。つまり、美術家だけではなく、彼らの作品を経済世界の中に組み入れる役割を果たすギャラリストたちがいてこそ、現代アートは存在感をあらわにできるようになったのである。たとえば「女優」などのテーマを設定して自らのポートレートを写真や映像などの媒体で独自に作り込む表現を展開してきた森村泰昌の活動はシュウゴ・アーツの佐谷周吾さんが、陸地のない海の精細な写真を世界各地で撮って惹きつけ、建築なども表現の対象にした杉本博司の活動はギャラリー小柳の小柳敦子さんが支えている。

美術をビジネスと位置づけた村上隆

そうした中でやや特殊な動きをしたのは、現代美術家の代表格とされる村上隆だ。村上がスター作家として国内外で広く認められるのは、２０００年以降のことになる。村上が作家活動を盛んにし始めたのは１９９０年頃。ギャラリストの小山登美夫さんらとの活動の後、独立してカイカイキキという会社を設立する。ビジネスとは正反対の世界に生きていることの多い美術家としては、類を見ない動きである。もともとと東京藝術大学で日本画を専攻していた村上は、岩絵の具を使った現代美術を制作する一方で、DOB君というねずみのようなキャラクターをモチーフにするという、現在へのつながりを強く感じさせる表現を早くから模索してきた。2003年に海外オークションの現代美術のセールでアニメに出てくるような少女像をかたどった大型のフィギュア作品がカタログの表紙を飾り、6500万円の高値で落札されたのは記憶に新しい。カタログの表紙に採用されるということは、そのセールの目玉作品と認められたことを意味する。この頃から村上は海外でも第一線の作家として認知されていたのだ。後日、その作品を売ったのも買ったのも海外のコレクターだったと聞いた。

村上は『芸術企業論』という型破りのビジネス書を刊行するなどして、美術の世界に一石を投じた異端の美術家だ。一方で「スーパーフラット」という言葉を用いて自らの表現を日本の美術史の中に位置づけるなど、単純に作品の売買をビジネスと見ているわけではない。カイカイキキという会社の設立は、必ずしも美術商を通さず作家本人が美術をビジネスと位置づけて活動を展開したことを物語っている。現代アートは表現だけでなく、市場とのかかわりにおいても従来とは異なるあり方を見せるようになったのである。

日本市場を支えた「画商」

日本の美術市場でやや特殊なのが、いわゆる「画商」の存在だ。ここまで「美術商」という言葉を主に使ってきたが、絵という伝統的な形式の美術品を美術市場の中で支えてきた存在として日本国内で使われてきたのが「画商」という言葉だ。近年は、新作の企画展を開いたり作家をプロモートしたりするギャラリストと、二次流通に携わるディーラーを分けて考える海外の発想による使い分けも増えている。むしろ、形式が自由な現代アート作品が増えている現在、日本語としてはやはり「美術商」のほうがふさわしい。しかし、「画商」という言葉からは日本の特殊事情も見えてくるので、少し詳細に立ち入ってみよう。

字義から解釈すれば、「画商」は絵を扱う商売だ。さらに日本においては、少なくとも20世紀後半には日本画商、洋画商、版画商に分かれていた。「日本画」は明治期にできた特殊なジャンルである。日本美術の伝統的な素材である岩絵の具や墨を使った技法を指すのだが、実際には東京美術学校が開校した際に「学科」としてできたことによる「制度」的な側面が強い。同校では１８８９年の開校時には絵画の専攻科目は日本画のみだった。１８９６年に西洋画の専攻が加わり、日本画と西洋画は別物として存在することが制度化されたことになる。その日本画も実はたっぷり西洋絵画の影響を受けている。線描を重視した薄塗りの伝統絵画からは解き放たれつつも、ジャンルとして「日本」を主張するのである。現代の美大にも、たいていは「日本画」を専攻する学科があるし、明治以来の伝統のうえに開催が続いている「日展」にも、日本画部門がある。

一方、「洋画」は西洋から技法が輸入された油彩画を描いた日本人作家の作品を指す。そして「版画」はまさしく木版画や銅版画などの技法上のジャンル。西洋では版画は複製技法として扱われることが多いが、日本では浮世絵版画などの歴史の延長線上にあることもあって、美術の根幹を成すオリジナル性の高い作品を生み出す一つの確固たる存在感を持つジャンルになっている。棟方志功、池田満寿夫や山本容子など版画家を名乗る作家は多い。銅版画家の浜口陽三はニューヨークで活動を続け、海外オークションでも作品を見ることがある。「日本画」にも「洋画」にも「版画」にも専門の「画商」がいて、それぞれのジャンルを支えてきた。

中でも村越画廊や靖雅堂夏目美術店などの日本画商は、日本の極めてドメスティックなマーケットの中で横山大観や東山魁夷、加山又造などの画家の作品を、それなりに大きなインパクトを見せながら扱う大きな存在であり続けてきた。

意外と日常的な美術品の購入

ところで、美術品は百貨店でも買える。「百貨を売っているのだから当たり前じゃないか」という方もいるかもしれない。しかし、美術の世界で見ると、百貨店は少し特別な存在感を持った場所である。

比較的上のほうの階に、いわゆる「画廊」があることが多い。一般の人々には町のギャラリーでは信用度の測り方がわからず、のれんのある百貨店で美術品を求めるケースが多いと聞く。以前接したあるコレクターは「私は百貨店でしか買いません」と話していた。ただし、百貨店に作品を供給しているのは町なかの美術商であることも多いようだ。百貨店で買うのはもちろん有効な選択肢の一つである。ただその際に、何を「信用」して百貨店で買うのかについては、吟味したほうがいいように思う。おそらく作家や作品にどんな個性を求めるかによっても変わってくるというのが筆者の考えだ。

経済が好調だった頃は、美術部門は百貨店の花形だった。扱う商品の中でも特に単価が高く、実際に大きな利益を上げていたからだ。一般客にはあまり馴染みがないかもしれないが、顧客の元を店員が訪ねる外商でもよく扱っていたと聞く。

近年は往時ほどの勢いはないにしても、美術部門がなくなってしまったわけではない。本書の原稿を書いている時期にも筆者は何度か東京の百貨店の美術画廊を訪れたが、数十万〜数百万円という価格帯の絵画作品の脇に、販売の予約を示す赤丸のシールがついているのを多く目にする機会があった。また以前は日本画、洋画、陶芸、工芸品といった比較的伝統的な分野の作品の扱いが主流だったが、最近はいわゆる現代美術の範疇に入る作家の作品も多く見るようになってきた。筆者が見る限りでは、販売価格が明示されているケースも多い。百貨店が美術市場を支える場の一つとして機能しているのは間違いない。

こうして日本の美術市場を捉え直してみると、国内でもそれなりに美術品の売買が成立していることがわかる。そもそも美術作品は目にして楽しいものである。自宅には小さな作品しか飾れないかもしれないが、筆者も原稿に行き詰まったときにふと顔を上げて壁にかかった絵画に目を留めると、そんなに高いものではないのに何かしらの活力が湧いてくる。美術品を買うという行為は、日本でももっと自然になってもいいような気がする。

第6章

美術作品の流動性を支える仕組み

オークションは美術市場の何を変えたのか？

数百年の歴史を持つサザビーズやクリスティーズなどのオークションは、美術品取引の重要な場である。しかし、オークションが日本で広く認知され始めたのはそれほど古い話ではない。業者でなくても売買ができる公開オークションを主催する国内大手のシンワアートオークション（現在のシンワオークション）が東京で産声を上げたのは、1989年のこと。いわゆるバブル経済の末期である。美術市場の拡大を目指して集まり、会社を立ち上げたのは永善堂、泰明画廊、平野古陶軒、表玄、みずたに美術の5軒の美術商だった。

知れ渡るようになった美術品の価格

実は多くの美術商たちにとっては、公開オークションというのは非常に抵抗がある存在だった。落札価格がオープンにされるからだ。普通、画廊などで売買が成立した際に美術品の価格が広く一般に公開されることはほとんどない。つまり、美術品の値段というのは、一般の人々には知られにくい存在なのだ。一般の商品であれば、標準小売価格のようなものがある。量販店などが安売りをするために価格のばらつきが問題になることはあるが、実勢価格を報道するような雑誌媒体も現れた。量産品なら価格情報にもそれなりの量の読者ニーズがあるので雑誌記事が成り立つわけだ。しかし、美術品の場合は複数制作される版画を除けばすべて商品の内容が違うため、1点ずつ価格が異なるのが基本的なあり方である。画廊に出かけて1点ずつ価格を聞く調査方法も理論的にはありえるが、膨大な手間を考えると現実には難しい。ところが、公開オークションは落札価格を公開することが前提だから、出品作品が掲載されたオークションカタログと落札価格表を照合すればすべて価格が明らかになってしまう。そこで、美術商たちは自ずと抵抗を覚えたのである。仮に美術商があるオークションで落札した作品を、店先で客に売ろうとした場合に、その落札価格と離れた値段が付けづらくなると考える者が現れるからだ。

また、作品の内容が1点ずつ違うとはいっても、ある作家の同じ時期の同じような内容の作品については作風が似通っているために相場のようなものが形成されうる。それゆえ、美術商がオークションで落札した作品そのもの以外を売る場合でも、価格付けに不自由が生じる場合があるのだ。

しかし、そうした抵抗を一部で受けながらも、オークションは静かに定着していった。価格がガラス張りになることについては、コレクターにとってのメリットは大きい。さらには、オークションは美術品の換金手段にもなりうる。美術品の換金は、意外と難しい。まずは美術品の価値を知っている美術商のところに持っていくのが、標準的な方法だ。ところが、美術商にとっては顧客ならともかく、馴染みの薄い客の場合はほかに換金する方法を見つけにくいため、足元を見られやすいということがある。下取りに出して別の作品を買うなどしてその美術商の新たな顧客に加わるなら話は別だが、おおむね画廊などで売っている価格の3分の1以下といった値付けが多いのではなかろうか。オークションならば、価格がオープンなだけに足元を見られるということは考えにくく、仮に希望よりも安く落札されたとしても、納得してあきらめることができる。

オークションというビジネス

あるコレクターが亡くなったとき、数百点の美術品が3回くらいに分けてオークションに出品されたケースに遭遇したことがある。

もっとも、オークション会社は、依頼があったすべての作品を競売にかけるとは限らないことも知っておくべきだろう。オークション会社は競売のためにいい作品を集め、いい買い手についてもらうことを業務の基本にしている。西洋では大コレクターや没落貴族と良好な関係を築くことで、オークションに良品を集める努力を常日頃からしていることをあるとき知った。いい作品が集まればいい買い手も集まる。サザビーズやクリスティーズに立派な作品が集まるゆえんである。なお、オークション会社の収入は売り手と買い手双方が支払う手数料から得られる。手数料は落札価格に応じて変わり、通常は10〜20％程度。落札価格が高いほど利益も上がる仕組みだ。

一方、日本では公開オークションが定着はしたものの、ここ30年近くの間にそれほど広がりがあったとは言えない。それは美術品を買う習慣が国内ではそれほど広く根付いていないことの表れでもある。コレクターの中には、売らないことをポリシーとしている人々もいる。好きで買ったものを手放して金にすることに対して疑問を持っているからだ。しかし、購入した美術品を売るというのは、必ずしも悪いことではない。購入資金が限られていれば、新たに自分のものにしたい作品に出会ったときにコレクションを売ることでその資金の一部とすることができる。売った作品は、新たに愛してくれる人の手元に渡るという考え方もできる。死蔵しておくよりはよほどいいのではなかろうか。

経済が活況を呈している中国では、美術品オークションが兆円単位（円換算）の市場規模を有している。対する日本のオークション市場の売上高の総計は、150億円から200億円程度を推移している。筆者が『日経アート』誌やその後編集に携わった『日経アート・オークション・データ』等の調査では2000年前後でもおおむね150億円くらいだったので、大きな成長はしていないことになる。中国には国営のオークション会社もあり、経済成長で生じた富が集中して注がれている現状がある。この違いをどう見るか。ただ、日本の伸びしろには、もう少し期待したい。

ネットギャラリーが風穴を開けた美術品の流通

21世紀に入って少し経った頃、一人の企業人が筆者のところに相談に来たことがある。ネットギャラリーを開きたいので意見を聞きたいということなのだ。当時、インターネットは普及の途上にあった。ネットで美術品を売るということについて、筆者はかなり懐疑的だった。美術品というものは実物を見ずして本当に見極めることはできない。哲学者のヴァルター・ベンヤミンが言うところの「アウラ」なくして、美術品の真価を100パーセント楽しむことはできないという考え方による。しかし、その企業人と話しているうちにだんだん心が変わっていった。彼は美術の専門家ではなかったにもかかわらず、本当に美術市場のことをよく研究していた。特に的を射ていたのは、値付けの合理性と買い取りシステムに関する指摘と対策だった。販売の対象は、米国の現代美術の版画に照準を定めていた。値付けについては、過去のオークション記録をつぶさに調べてデータを集積し、そこから適正な価格を割り出すという手法を考えていた。しかも、そのデータ自体をネットで公開するということまで計画していた。買い取りについても、最初からはっきりとそのシステムがあり、個々の作品の買い取り価格を購入者に知らしめるという案を考えていた。そうしたことを利用者にわかってもらうことによって作品を安心して買ってもらうのと同時に、美術品にそれなりの資産価値があることを暗に気づいてもらおうとしていたわけである。筆者がそのときに伝えたアドバイスがどのくらい役に立ったかはわからないが、その後ネットギャラリーはオープンした。「タグボート」である。創業から十数年を経た今、日本の作家にも扱い範囲を広げて営業している。近年は、ネットでの美術品の扱いは、サザビーズなどの大手オークション会社でも当たり前になっている。そういえば、筆者が先日入手した小林永濯《こばやしえいたく》作画の『郵便報知新聞』第500号は、ヤフー・オークションに出品されていたものだ。ネットを通じた取引の増加によって、美術市場にもじわじわと地殻変動が起きているのではなかろうか。

美術市場を毎年調査している社団法人アート東京の報告書によると、2019年の国内事業者からの美術品購入額は2270億円。そのうち、インターネット利用については192億円という数字が弾き出されている。「画廊・ギャラリー」での購入982億円と比較しても、十分に大きなインパクトを放っていることがわかる。コロナ禍で増えるネット利用は、美術市場においてもさらにネット利用を促す可能性もありそうだ。

COLUMN

誰でも参加できる公開オークション

サザビーズやクリスティーズなど高額な美術品の実績で知られる公開オークションには富裕層が参加する印象が強く、一般の人々にはハードルが高く感じられるかもしれない。どちらのオークションも18世紀の欧州で始まり、歴史と格式を持つ。しかし、実際は身分証とクレジットカードなどの提示などによって誰でも登録・参加ができ、サラリーマンでも手が届く数十万円程度の価格帯の落札品も多数存在する。美術品のほかに宝石、食器、家具、ワインなどさまざまな分野のオークションが開かれている。日本でも魚市場等での競りや競り下げ方式によるバナナのたたき売りなど、限られた場所・分野でのオークションは開催されてきた。だが、美術品を含めて、生活に必要なものをリユースするという視点で考えれば、公開オークションは古いものを大切にする欧州の文化が育んだ経済システムと見ていいだろう。筆者が以前ドイツの街角を歩いていたときに小さなオークションが開かれているのを見つけたのでふらりと入ると、満席の会場でじゅうたんや食器、版画などが次々に競売にかけられていた。街の人にとっても身近な存在だったように感じた。

近年は日本でも公開オークションが増えている。また国内外を問わず、インターネットで参加できる例が多い。街のギャラリーが、希望落札価格を書いて箱に入れる入札式のオークションを開く例もある。オークション参加への敷居は以前にも増して低くなっているのではないだろうか。

第7章

これからの美術の経済

これからを生きる美術家たち

「これからの美術の経済」の展望は、けっこうな難題である。筆者が美術界にかかわって三十数年の間に世界では冷戦が終結し、インターネットが世の中のあり方や秩序に大きな影響を及ぼすようになった。日本は経済の波に翻弄され、経済と直結した美術の世界も大きな試練を経てきた。その中で見逃してはならないのは、以前は美術と言えば絵画や彫刻がほとんどと思われていたのが、「多様な方法によって何かしらの表現をするもの・こと」という認識への変化を呼びつつあることだ。

激変する社会の中でも泰然自若と生きる美術家がいること、林立する芸術祭にも美術の世界を変える可能性があることなどを見据えながら、「これから」について考えてみたい。

現代の美術家の生き方

いかに時代が進もうとも、先端を行く中に、その時点で多くの人の支持を得にくい種類の表現があるのは、時代の何歩も先を行く美術の宿命だ。あえていえば、美術史などの知識の集積によって随所に将来の宝が眠っていること自体が知られるようになってきたので、目を向ける人は増えているはずである。しかし、実際に掘り起こせるかどうかは、人々がそれなりの「眼」を持ちうるかどうかという話にもなり、一筋縄では行かない。美術家の多くは、いつの時代もたくましく生きる必要がある。ここでは、実際にたくましく生きている美術家の例を、少しだけ紹介したい。

筆者は、美術雑誌の編集部にいたころ、会社勤めをしながら帰宅後や休日、制作に勤しむ生活を続けていた版画家の柿崎兆《かきざききざし》に話を聞いたことがある。水辺や月夜などを題材に、風景を抽象化した作品を多く制作しており、サラリーマン稼業とは対極にあるような詩情豊かな作風の版画を制作していたのが、強く印象に残っている。柿崎には、ほかの版画家にはあまり見られない特色があった。それは、一つの作品の刷り部数であるエディションがわずか数部だったことだ。数十部以上ということが多い版画の世界では、極めて少ないエディション数だった。同じ図柄の作品を多く制作すれば多くの人が所有して楽しむことができるのでもったいないとも思ったが、少ない制作時間の中で1枚ずつ丁寧に仕上げるには妥当な数だったのだろう。

賞金1000万円のゆくえ

村上龍の小説『コインロッカー・ベイビーズ』の表紙に作品の絵が用いられた画家の小山佐敏《こやまさとし》は、2000年に小磯良平大賞を受賞した。都会のビルが生命体のようににょきにょきと伸びる様を描いた超現実的な作風を特徴とする。当時は今のようなタワーマンション群などはなく、まるで現代の東京などの大都市のありようを予見していたかのようだ。小磯良平大賞の賞金は1000万円。つましい生活を続ければ、賞金だけでも数年間は暮していける。実は、受賞の数年前に取材した折にどうやって生計を立てているかということに話が及んだときには、「プールの指導員などをして生活費にしているんですよ」と言っていた。では、賞金が入って、暮らしは上向いたのだろうか。受賞して数年後に再会したときにそのことを聞くと、「相変わらずプールの指導員を続けています」と語った。賞金には永続性がない。いわば一種のあぶく銭のようなもので、数年間で制作費などに消えてしまったという。小山がライフワークにしているテーマは、ビルを生命に見立てた「都市の増殖」。震災を表現するなどヴァリエーションはあるが、方向性はいまだにぶれないし、売りやすい絵を描こうという気もないようだ。それゆえ、熱狂的なファンはいるけれども、多くの支持を得るというタイプの美術家ではない。今も埼玉県で質素な生活を送りながらも、自らの信念にのっとった表現を曲げることなく地道に作家活動を続けている。

「本業」が画業に還る

2010年に「GEISAI TAIWAN#2」で佐藤可士和賞、2015年に岡本太郎現代芸術賞特別賞と、堅実な受賞歴を紡いできた現代美術家の佐野友紀《さのゆうき》は、長野県の実家で養蜂業を営みながら、作家活動を続けている。東日本大震災の瓦礫を題材にした文化庁メディア芸術祭の出品作《ほんの一片》(2012年)は、今でも強烈な印象が筆者の脳裏に刻まれたままだ。タイトルとは裏腹だったのが、高さ4・5メートル、幅7・2メートルの大作だったこと。写真をベースに油彩画として仕上げた作品だった。当時佐野は、筆者が教鞭を執っている多摩美術大学の大学院生だった。しかも、筆者の授業をとっていたのだが、メディア芸術祭の会場で作品と対面したときはそんなことはまったく知らず、ただ作品のインパクトに筆者は圧倒されていた。佐野は筆者の所属とは異なる学科の院生だったので、ふだん作品を目にする機会はなかった。そして、たまたま直接話す機会があってメディア芸術祭の作品が佐野の作であることを知り、自分の教え子にもこんな作家がいたのかと驚いた。その後、佐野は実家に戻って養蜂業を営みつつ、岡本太郎現代芸術賞に応募するなどの活動をしていたのである。同賞に出品したのは、自然や生命と向き合いつつ絵画のあり方の根源を問う《アウラの逆襲》という作品だった。類まれなたくましさを感じた。養蜂業という仕事をしているがゆえの着想で生まれたのだろう。作家が経験した人生が現れた作品には強い生命力が宿る。そんなことを実証しているのかもしれない。

現代美術家はどのように認められるのか

そもそも現代の美術家は、どのようにして認められていくのだろうか。以前は日展や日本美術院などの美術団体の公募展に応募するのが主たる登竜門だった。それぞれの団体の中で実績に応じて会員や会友などのポジションを得ることで弟子を得たり画商がついたりといったことが経済的な基盤の成立につながっていた。団体展としては国内最大規模の日展が2017年に国立新美術館で開いた「改組 新 第4回日展」では12万人余りを動員している。ただし、大規模な団体展は表現や技法に保守的な傾向が強いため、独創性を旨とする先鋭的な現代美術家たちの価値観とは相容れない。

では現代美術家たちには登竜門はないのか。コンペティションは、ないわけではない。ただし、比較的メジャーなVOCA賞とシェル美術賞はともに平面作品が対象。独創性を重んじてはいるものの、立体や空間を大きく使った表現が増えている現代美術の現状には必ずしもそぐわない。その点をフォローしているのが岡本太郎現代芸術賞である。応募要項には、「美術のジャンル意識を超え、審査員を驚かす『ベラボーな』(太郎がよく使った言葉です)作品の応募を期待しています」と書かれている。

賞以外に、東京都現代美術館の「MOTアニュアル」や森美術館の「六本木クロッシング」などキュレーターが作家を選ぶ企画展では平面以外の作品も多く見ることができるようになり、認知度と評価を高めていく場として機能している。大原美術館や府中市美術館が行っている滞在制作や公開制作のプログラムへの参加も実績になる。有能な作家には早くから現代美術ギャラリーがつき、個展やアートフェアへの出品機会を積む。また、近年はポーラ美術館や練馬区立美術館など従来は現代美術をあまり取り上げていなかった美術館で若手作家を取り上げる例が増えている。

佐野友紀

《ほんの一片》

2011年3月11日に起きた東日本大震災をテーマにしたのがこの作品だ。7メートルの幅いっぱいに瓦礫が描かれている。写真のようにも見えるが、これほど大きな印画紙やプリントアウトは現実には存在しない。写真をベースに油彩で描き直した作品だったのだ。自動車のタイヤ、木材の切れ端、衣類の断片など瓦礫は実に雑多だ。それらは人々の生活の名残りであり、もはやほとんどはゴミとして処理していかなければいけなくなった物である。その集積を単なる記録としてではなく、見た、あるいはこれから見る人々の脳裏に焼き付ける力をこの作品は持っている。また、1枚の写真をもとにしたものではなく、複数の場面を融合させたものという。つまり、実は現実の光景ではないのだ。

作者の佐野は、「作品は巨大だが、被災地の瓦礫の山の中では描いたのは〝ほんの一片〟にすぎない」と話す。その言葉には、あえて油彩で

「描いた」意志を感じた。写真が絵の具によって力強さを増している。この作品が文化庁メディア芸術祭※に出品されたゆえんである。

2012年、4・5×7・2メートル、カンヴァス地に写真プリント・油彩　第16回文化庁メディア芸術祭展示風景（国立新美術館）

東日本大震災が起きてすぐの頃は、多くの美術家が無力感に襲われていたことを記憶している。何をしても死者は生き返らないし、被災地で生きる人々のお腹を満たすこともできない。美術は本当に必要なものなのかということを美術家たちは自問し、なかなか納得ができる答えを導き出せなかったのだ。震災後2年近く経ってこの作品の前に立ったとき、筆者も美術の力を思い知ることになった。

※世界から作品を募り、アート、エンターテインメント、アニメーション、マンガの4部門において優れた作品を顕彰している。2020年3月に発表された第23回は、世界107カ国・地域から3566点の作品の応募があった。

作家の見本市としての美大展

美大は、当然ながら美術家の卵の宝庫である。美術家という職種は、基本的にフリーランスである。一般的なフリーランスの職業との違いは、特異な才能をいち早く確保するための青田買いがあることだろう。東京では、毎年2月ごろ「東京五美術大学連合卒業・修了制作展」(通称：五美大展)という催しが開かれる。多摩美術大学、女子美術大学、東京造形大学、武蔵野美術大学、日本大学芸術学部のファインアート系学科による合同の企画展である。会場を歩いているとしばしば、現代美術を扱っているギャラリストに出会う。彼らは、美術家の卵たちが今どんな作品を制作しているか、そしてどんな才能が具体的にこれから世に旅立とうとしているかを見るために会場を訪れているのだ。

才能を売り出すプライマリー・マーケット

美術市場には、プライマリー・マーケットとセカンダリー・マーケットの2種類がある。ギャラリーなどで現役の美術家の新作を扱うのがプライマリー・マーケット、二次流通の作品を扱うのがセカンダリー・マーケットである。プライマリー・マーケットは、常に新しい美術家を欲している。ただギャラリーを経営していくだけなら新しい美術家は必ずしも必要ないのかもしれないが、新しい美術家を育て、ともに歩もうという心意気を持つギャラリストは少なからずいるのである。美術家としては、ギャラリーとの関係ができたところで、ようやく美術の世界で生きていくための入り口に立ったことになる。両者の結びつきは企業への就職ほど強固ではなくても、ギャラリーでの扱いなくして美術家が社会へ巣立つのは難しいし、ギャラリーにとって作家は宝物という認識があるので、かけがえのない関係である。ギャラリストが五美大展などで青田買いをするのは、そのニーズに応えることにもなる。ただし最初は、優れた才能を認められたとしても将来的に美術の世界でどう受け入れられるかは見えにくい。それゆえ、比較的低い価格帯で売り出していくのが一般的なあり方だ。

もっとも、最近はオークションに若手美術家の作品が出ることがときどきあり、従来のあり方とは異なる様相を目にする機会が増えている。その端緒は、2008年にシンワオークションが東京・丸の内で開いたオークションだった。鎌谷徹太郎、はまぐちさくらこ、山口藍ら1970〜80年代生まれ、当時のオークションとしては「超」をつけてもいいくらい若手の美術家の作品が多数出品され、しかもほとんどが落札されたのだ。日本は美術市場が小さく、特に現代美術家は生きにくい。その環境でも表現意欲は止まることなく、美大などから才能の輩出は続く。その中で、彼らを受け入れるチャンネルが増えているのだ。こうした動きは、美術市場の構造を少しずつ変えている。

逆に若手作家ばかりが持てはやされるのを疑問視する向きもある。目新しさに目が向いているうちはいいが、早くから作品価格が高くなりすぎて、10〜20年と時間が経つうちに市場から見放される懸念があるからだ。幸いなことにここで例に挙げた鎌谷もはまぐちも山口も市場では健在である。個展で見かけることもある。それぞれにギャラリーがしっかりついていることが、市場に定着している理由といえようか。

芸術祭は なぜ 増えたのか?

ここ20年ほどの現代美術の世界で最も大きく変化したことがあったとすれば、国内の芸術祭の増加である。総数を確かめるのは困難だが、100~200はあるのではないかと言われている。2019年の「瀬戸内国際芸術祭」には過去最高の117万人が訪れたとされ、過剰な観光客の増加による観光公害が取り沙汰されるほどの状況になった。もともと発表の場が限られていた現代美術家にとっては、作品を見せる機会が著しく増えていることになる。

観光資源になった芸術祭

ヨーロッパでは、1895年に始まったイタリアの芸術祭「ヴェネツィア・ビエンナーレ」の存在が大きい。ほぼ隔年で開催が続き、近年は約90もの国や地域からの参加があり、五輪的なイベントとしてのインパクトを放っている。

日本国内で芸術祭が目立って増え始めたのは、2000年の「大地の芸術祭」、2001年の「横浜トリエンナーレ」の頃からだ。2019年に「表現の不自由展・その後」の展示室の閉鎖などで社会的な騒ぎが勃発した「あいちトリエンナーレ」も、その流れの中にある芸術祭の一つだ。ヴェネツィアに比べれば実に100年遅れてのスタートともいえるが、ここ数年は「林立」という言葉が使われるほど国内の芸術祭が増えている。それは一体、どのくらい喜ばしいことなのだろうか。

芸術祭開催ラッシュのもとをたどると、新潟県の農村地域で開かれている「大地の芸術祭」に行き着く。それまでは、世界のほかの地域を見ても、農村で開催される芸術祭は存在しなかった。ドイツのミュンスターで1977年に始まった「彫刻プロジェクト」と呼ばれる芸術祭は、街中にアート作品が散在しているのが特徴で、作品間をめぐり歩く点で「大地の芸術祭」と同じタイプである。しかし、あくまでもミュンスターという都市の芸術祭だった。一方、「大地の芸術祭」は、農村地域に蔓延している過疎の問題の解決に向けて開かれた、いわば村興し的な試みだった。第1回から総合ディレクターを務めている北川フラムさんは「現代アート作品を展示するにあたって、最初は住民の理解があまり得られず、自治体の所有地を中心に展示していたが、回を追うごとに協力的な住民が増えていった」と話す。畑の真ん中にオブジェを置いたり、廃屋をリノベーションして建物をまるごと作品展示の場として見せたりする試みは都会から多くの若者を呼び、地元の住民への訴求力もあった。そして3年に一度の開催が続き、すでに7回を数える恒例イベントになっている。

驚いたのは、ある時期から旅行会社がこの芸術祭を組み込んだツアーを企画し始めたことだった。いわゆる観光資源になったわけである。筆者が取材をした限りでは、地元住民は会場のスタッフを務めるなど、芸術祭への参加にかなり積極的であり、また若者を中心とした多くの人々が農村地域を芸術祭目的に訪れることを歓迎していた。地元のスタッフには高齢者も多く、都会からやってくる若者たちとの接合点になった。

なお、「大地の芸術祭」の意義は、単に都会から人を呼んだだけではなかったことを記しておかねばならない。美術家たちは作品を制作するにあたって地元の住民を取材するなどして、しばしば、その土地固有の何かを掘り起こす。フランスの美術家、クリスチャン・ボルタンスキーは《最後の教室》という作品展示で廃校になった小学校の校舎を使い、学校にあったたくさんの写真を表現の一部に組み込むなどした。美術家が来なければ、誰も見ることがなくなってしまった可能性が高いものを作品として生かすことで、その地域でなければ存在しえない作品が生まれたのである。それは、作家にとっても地域の住民にとっても意義のあることだった。

芸術祭は経済に何を及ぼすか

本書としては芸術祭の経済的な面に注目せざるをえない。「大地の芸術祭」は、新潟県山間部の約760平方キロメートルという広大な地域で開催されている。先述したように廃校の校舎などを利用して展示施設としているが、廃屋の再利用には、改修工事などの金がかかる。広さがあるゆえ、スタッフの移動や運営も大変だ。当然のことながら、作品の制作費もかかる。芸術祭全体の総予算は2018年の開催分で約6億7000万円。自治体や国からの支出が半分程度を占める。ハコモノ行政の賜物ともいえる美術館の建設がいわゆるハードウェア部分への資金投入だったのとは異なり、芸術祭では必然的に企画や作品制作などのソフトウェア部分に予算の多くが当てられる。先述したように、公立美術館には作品の購入予算がゼロの時期が続くケースが多々あった。しかしそもそも美術館であろうが芸術祭であろうが、作品を見せないことには本来の目的を果たせない。公募作家は手弁当で参加という場合もあるようだが、一人の美術家に数十万~数百万円の予算が投じられるケースもあると聞く。作品制作に一定の予算が投じられる芸術祭は、現代美術家にとって貴重な存在だ。

自治体などが主催する芸術祭は、それまでの美術の世界には存在しなかった発表の舞台を現代美術家たちにもたらした。アルゼンチンの美術家レアンドロ・エルリッヒは、日本で作品を見ようと思えばプールを模したトリッキーな作品を設置した金沢21世紀美術館などのある金沢に出かける必要があったが、新潟の大地の芸術祭や香川の瀬戸内国際芸術祭でも見られるようになった。かと思えば、女優の南果歩が瀬戸内国際芸術祭の一般公募で応募し、見せたパフォーマンスもある。無名の美術家にも企画書を出すチャンスがある。

美術家たちはまた、できあいの会場に旧作をポンと置くわけではない。そこにある必然を考えながら制作に臨んで生まれた作品は、来場者にも、美術館にある作品とはまったく違った楽しみ方ができる。こうした新たな創造の場が増えているのは、大きな変革である。大きな芸術祭では億円単位の予算が投じられる。現代美術の世界においては、ほぼ21世紀に動き出した経済の流れと捉えてもいいのではなかろうか。本書執筆時点で猛威を奮っているコロナ禍のために、林立する芸術祭が淘汰される可能性もある。しかし、新たな創造の場があることを知った記憶は、少なからぬ人々の脳裏に刻まれたはずだ。

２０１９年のあいちトリエンナーレでは、「表現の不自由展・その後」と題された企画の出品作が問題視され、展示室が閉室を余儀なくされるなど大騒動になった。そこでわかったのは、まさに「表現の自由」をまっとうすることの難しさだ。そして、同トリエンナーレへの文化庁による７８００万円の補助金の交付が決まっていたことが、大きな攻撃材料になった（最終的に６６００万円に減額された）。美術だからといって誹謗中傷や犯罪に加担する表現は許されないが、政治や社会への批判はむしろ健全な社会づくりにもつながる。税金が運営費として拠出される芸術祭の増加は自由な表現の場を増やし、社会に寄与する。国にも自治体にも一般の人々にも、芸術祭を、多様な表現を受け止めて社会や生活を豊かにする場にしてほしいと切に思う。

ネットは新たな美術マーケットを育てるか？

インターネットの普及により、商品販売の世界はかなり様変わりをした。多くの人々が、自宅にいながらにして注文から商品の受け取りまでができるという、足を使わない極楽生活を送っている。しかし、そもそも半世紀前の日本では、通販自体が一般的ではなかった。通販がまったく存在しなかったわけではないが、商品の実物を見ずして買うということが考えにくかったのだ。写真で見る商品と実物はえてして違うものだし、粗悪品をつかまされる可能性だってある。その後、クーリングオフなどの法整備を含めて、通販が定着していったのは周知の通りである。さらに変革を促したのが、アマゾンや楽天市場などのインターネット通販である。メルカリなどによる二次流通の場の構築もインターネットの力による。

ネットオークションの可能性

さて、美術品の場合はどうだろう？　たとえばサザビーズやクリスティーズをはじめとする多くのオークションではネットでの入札が可能になっているし、Yahoo! JAPANなどが運営するネットオークションにも多くの美術品が出品されている。気になるのは、パソコンやスマホなどの画面で見るのと実物を見るのとでは、伝わってくる情報の質がかなり違うことだ。実物であればごつごつした絵の肌合いに惹かれることがあるし、ツンと鼻を突く墨の香りがたまらない日本画もある。画面で見る場合はやはり物質感がない。

しかしそのあたりは、作品の批評や丁寧な説明でカバーされうる。ネットの画像だけでなく画集やカタログの図版も複製に過ぎないし、何よりも、先鋭的な分野の美術品は、実物を見てもその時点では多くの人にとってすぐには理解しづらい価値を持っている。だからもともと美術を受け止めるには、〝言葉〟がとても有効なのである。逆に、ふだんから熱心に美術品を観察・研究している人なら、パソコンなどの画面を見ただけでもかなりのことが見極められるだろう。カタログの図版を見るだけで入札するプロの業者が存在すること自体が、その可能性を実証している。

その中でおそらく大きな障壁となるのは、先の章でも取り上げた贋作の存在である。美術の世界で贋作が出回るのは、必然と言ってもいい。実物を見ても騙されるのに、真贋をネット上の写真だけで判断するのは不可能に近い。その辺りについては、主催者の信用や補償という実にアナログな解決法に頼る必要がありそうだ。以前ドイツの美術市場を取材した折に、オークションカタログをめくりながら「これも、これも、これも贋作だ」と話す美術評論家がいた。その話自体の真偽については筆者には確かめようもなかったが、伝統のある美術品オークションでも贋作は出品されうることを知っておくべきだと、思いを新たにした。コピー＆ペーストが容易なネット社会では、より贋作が出品されやすいだろう。

ネットだからこそ可能になる新しい取り組み

美術市場でネットをどう使うか。確立された手法はまだあまり見えていない。しかし、すでに大きな変化が起きている部分もある。サザビーズやクリスティーズなどの落札結果がオープンになっていることだ。それもモディリアーニやピカソなど有名作家の高額落札のニュースばかりではなく、オークションに登場した作品なら、業者でなくても個々の事例についての落札価格を知ることができる。実はこれは静かな革命だ。たとえば、「sotheby's picasso」と検索し、「past lots」を見ると、いくつか並んだ作品画像のトップに「GARCON A LA PIPE」(《パイプを持つ少年》)というタイトルの作品が出てきた。さらにその絵をクリックすると、1億416万8000ドルという落札価格とともに、ベルリンやチューリヒのコレクターが所有していたという来歴や、ニューヨーク近代美術館などに出品されたという展覧会歴が、拡大画像とともに出てきた。この絵はピカソ初期の「バラ色の時代」といわれた時期に描かれた希少な作品の1枚。筆者は、この作品にこうした形でネットで出会うだけでも感無量になった。実際こうしてかなり多くの情報が、ネットを通じてガラス張りになっているのである。また、実際に取引された価格を知ることで、さほど美術市場に深入りしていなかったコレクターも安心して売買を進めることができるだろう。

近年は「ブロックチェーン」というIT技術をデジタル証明書に応用する動きがある。売買の際に真贋情報や来歴などを添付することによって、クリーンで安心できる取引に役立て、市場を活性化しようというアイデアだ。紙の鑑定証書を補う、あるいは代わる存在になりうるか、期待を込めて動きを見守りたい。

極めて多様な表現を持つ美術品は、売買の対象である以前に、ネットの貴重なコンテンツである。Google社は世界の美術館の内部を歩き回れるようなプログラムを無料で提供し、名画巡りを自宅の机上で行うことを可能にした。もちろん絵の具の匂いもしなければ、必ずしも本物に忠実な色合いを再現しているわけでもない。しかし、パソコンでマウスをぐりぐりとやれば結構な拡大ができ、細部に思わぬ発見をすることもあれば、実際の展覧会では並ぶことのないであろう2枚の名作をじっくり見比べることもできる。日本の美術館でもツイッターやインスタグラムなどへの投稿を前提に作品の撮影を可とする例が増えている。口コミならぬネットコミで美術館を訪れる客も激増し、昨年森美術館で開かれた「塩田千春展」には66万人もの来場があったという。現代美術家の個展としては驚異的な数字だ。人が動けば経済も動く。現在はコロナ禍で一服しているものの、新たに美術の楽しみを知った人々の動きは近いうちに息を吹き返すに違いない。

カネと無関係な美術品

これまで美術作品を経済的な存在として捉えてきたが、たとえば無償奉仕の労働や恋人のための手編みのマフラーなどを思い浮かべればわかるように、世の中のすべての「物」に価格がついているわけではない。そして、美術作品にもそんな例は無数にある。まずは子どもが描いた絵がそう。趣味のサークルで日曜画家が描いた「作品」もほとんどの場合、販売価格は設定していないだろう。それらを美術作品として美術市場で扱えるかどうかすなわち価格がつくかどうかを判断するのは、「作品」として享受する側の捉え方の問題だ。

人間が生きていくうえで必然である美術

そんなことを考えさせてくれたのは、２０１２年に東京藝術大学大学美術館で開催された「尊厳の芸術展」を見た体験だった。会場に並んでいたのは、流木を利用したヘビの彫刻、一人の人がポツンとたたずむ雪景色を描いた絵画、美しく編み上げた手提げ袋、鳥の彫刻が見事なブローチなど。それらは第二次世界大戦中、米国内に設けられた日系アメリカ人収容所の人々が作った美術品や工芸品の数々だった。当時米国内の複数の収容所に入っていた日系アメリカ人は12万人に及んだという。彼らはほとんど財産を持たずに収容され、集団生活を強いられた。そしてその中で生活を潤すなどの目的で自発的に制作したのが、それらの作品だった。

１９９０年代、日本の経済が低調な時期に入って、「食物などの必需品とは違い、美術品はいらなくなるのではないか」と問われることがいろいろな局面であった。自分の家に彫刻や絵がなくても生きていけるのは確かだ。戦時下の日系人のこうした行いは、そんな考えを吹き飛ばす。美術は人間が生きていくときに求める基本的な要件であることに確信が持てたのだ。芸術はしばしばカネに翻弄される。そんなときに、いつもこの展覧会のことを思い出し、美術の原点に思いを馳せるのである。

COLUMN

アートフェアは定着の正念場

たくさんのギャラリーが大会場に集まって作品を売るアートフェアは、近年日本国内でも定着しつつある。一般社団法人アート東京の調査によると、2019年度の国内の美術市場規模2580億円のうち、アートフェアは176億円を占めた。

内外約150のギャラリーが参加しているアートフェア東京は、現在国内で開催されているアートフェアの代表格だ。主催者の発表によると、2019年3月7〜10日に東京国際フォーラムで開かれた同フェアには6万人超が来場、総売上金額は約29億7000万円にのぼった。

海外では、アート・バーゼルやアート・ケルンなど欧州の老舗のほか香港、シンガポール、ソウルなどアジアでも開催され、日本から参加するギャラリーも多い。

一方国内では大型のアートフェアがなかなか定着しなかった歴史を持つ。1992年にパシフィコ横浜で第1回が開かれ、現代美術に特化した大型のフェアとして注目された「国際コンテンポラリーアートフェア」は経済が低迷する中、2003年に閉幕。衣替えする形で05年にスタートしたアートフェア東京は古美術から現代美術までさまざまな作品を扱うギャラリーを集め、現在に続いている。

アートフェアでは来場者は一度に多くのギャラリーのブースを巡ることができるし、買わずに帰るのは自由で敷居は低い。ホテルの客室を利用したアートフェアもある。出展者同士の交流を育む場にもなっている。2020年はコロナ禍のためにアートフェアは世界的に中止が相次いだ。定着に向かっていた中で、試練の時を迎えている。

おわりに

執筆している途中で、世界がコロナ禍に見舞われた。未曾有の事態は人々に恐怖を抱かせるだけでなく、経済界にも大きなダメージを与えている。世界大戦並みの混乱の中で、美術のことなどにかまっている余裕が世の中にはあるのだろうかという疑問を抱かざるをえなくなった。

そんな状況下で、筆者は自室に掛けている水彩画をいつものように眺めていた。その作品は20世紀末に亡くなった現代美術家が描いた抽象画で、10年くらい前にあるギャラリーが開いた入札式のオークションで比較的安く落札したものだった。じっと見ていて、ふと思った。

「これは〝物〟だからウイルスに傷つけられることなどはないし、マスクをかぶせる必要もない。不況になったからといって見すぼらしい姿になることもない。人間の騒ぎなどにはおかまいなく、その素晴らしさを目の前で見せ続けている、確固たる存在である。とても頼りがいがある〝物〟だ」と。

美術市場では、良質の作品は不況に強いと言われる。美術の価値は普遍的なものゆえ、仮にある国の経済力が落ちてもほかの好況な国での需要が必ずあって価格が下落しにくいという考え方による。ただ、世界中のどこにも逃げ場がない今般のコロナ禍のもとでは、好況な国自体が存在しにくい。そこでさらに考えたのは、「レオナルド・ダ・ヴィンチの《モナ・リザ》は、数々の疫病が猛威を奮った時期を含む500年の歳月を超えて、魅力ある〝物〟として存在し続けてきたではないか」ということだった。もちろん、市場価格という点では、最高レベルの美術品においても経済の波間にたゆたうことはあったに違いない。しかし、それが大切な〝物〟だと思えば、人々は修復を施すなどして美しさを保ち続けようと努める。やはり確固たる存在なのである。

本文でも記したが、筆者は『日経アート』(日経ＢＰ社刊、創刊時は『にっけいあーと』というひらがなの誌名だった)という月刊誌の編集部に編集記者として在籍していたことがある。１９９９年に休刊したときには編集長を務めていた。同誌は読者の７割がコレクターなどの、美術品をお金を出して購入する人々だった。コレクターが少ないと言われる日本では、今考えても驚くべき読者層を獲得していたと思う。一方で筆者は、美術と金を結びつけて考えることになかなか馴染めなかった。「美術品で投資をする？　何なんだそれは？」と思っていた。しかし、実際に美術品を買うのにお金を投じる人々と接していて気づいたのは、コレクションへの愛情である。美術の趣味は千差万別なので、必ずしも彼らのコレクションに共感できないこともある。しかし、コレクターたちは、所有している作品に接するときの目が違う。作品について語る言葉にも、精気がこもっていた。そういう体験をしてみたいものだと思い、実際に美術品をいくつか買ってみたりもした。結局は、大した値段の美術品は買えていない。だが、それが数千円の絵であっても自分で買ったものを毎日眺めていると、妙な愛着が自然に湧き出してくる。なぜ同じ作品を見ていて飽きないのかも、はっきりとはわからない。たぶんそれが、いい作品であることの証なのではないかと信じている。美術館で名画を見るときの経験と違うのは、自室で見ている作品が極めて廉価なことだ。金と美術の不思議な関係がそこにあることに思いいたった。

人間は経済活動の中で生きている。食べるためにお金を稼ぎ、日々の暮らしに役立つ道具などを買うためにお金を使う。自分の習い事や子どもの教育にも結構な投資をする。だいたいなんでもお金がかかる。そんな経済にまみれた人間の世界の中で、美術はなかなか不思議な存在の仕方をしてきた。本書はその理由が少しでもわかるようにと、自分に問いかけつつ書き始めたものである。お金がまったくかかわらなくても美術は生まれうるし、錦絵のようにそれまでは出版物だったものが人々の扱い方や見方の変化によって美術へと変容する場合もある。書籍1冊分、考えながら書いてその真相が究明できたとはとても言えない。また、本書を読んだからといって美術品投資に成功しますよという約束もできない。ただ、経済的な存在でありながらも時に乱高下する波間に消えてしまうことのない美術品の強さが、おぼろげながら見えてきたような気がする。

最後になったが、インプレス「できるビジネス」編集部副編集長の田淵豪氏には、本書の企画・構成から完成まで、なみなみならぬお世話になった。通常の美術書とはスタンスが違うビジネス書の視点の提示からは、多くの啓示を得られたように思う。書き下ろしのつらさに何度もへこたれる中で田淵氏の励ましと適切なアドバイスがあり、何とか上梓した次第である。読者の方々にとって、少しでも生活の潤いの素になることを願うばかりである。

２０２０年９月
小川敦生

主要参考文献

●新関公子『ゴッホ 契約の兄弟 フィンセントとテオ・ファン・ゴッホ』(2011年、ブリュッケ)

●二見史郎編訳、圀府寺司訳『ファン・ゴッホの手紙』(2001年、みすず書房)

●マリー=アンジェリーク・オザンヌ、フレデリック・ド・ジョード著、伊勢英子、伊勢京子訳『テオ もうひとりのゴッホ』(2007年、平凡社)

●古田光『レオナルド・ダ・ヴィンチ 人と思想』(2008年、ブリュッケ)

●アレッサンドロ・ヴェッツォシ著、高階秀爾監修、後藤淳一訳『レオナルド・ダ・ヴィンチ 真理の扉を開く』(1998年、創元社)

●ビューレント・アータレイ、キース・ワムズリー著、藤井留美訳『ダ・ヴィンチ 芸術と科学の生涯』(2009年、日経ナショナルジオグラフィック社)

●古田亮『日本画とは何だったのか 近代日本画史論』(2018年、角川選書)

●古田亮『狩野芳崖・高橋由一 日本画も西洋画も帰する処は同一の処』(2006年、ミネルヴァ書房)

●木下直之『美術という見世物』(1993年、平凡社)

●松本典昭『パトロンたちのルネサンス』(2007年、日本放送出版協会)

●高橋芳郎『「値段」で読み解く魅惑のフランス近代絵画』(2007年、幻冬舎)

●菅原真弓『月岡芳年伝 幕末明治のはざまに』(2018年、中央公論美術出版)

●高橋友子『路地裏のルネサンス 花の都のしたたかな庶民たち』(2004年、中公新書)

●池上英洋『ダ・ヴィンチの遺言』(2006年、KAWADE夢新書)

●高橋克彦『新聞錦絵の世界』(1992年、角川文庫)

●土屋礼子『大衆紙の源流 明治期小新聞の研究』(2002年、世界思想社)

●尾崎彰宏『レンブラント工房 絵画市場を翔けた画家』(1995年、講談社)

●内藤正人『浮世絵とパトロン』(2014年、慶應義塾大学出版会)

●永田生慈『葛飾北斎の本懐』(2017年、角川選書)

●ピエール・アスリーヌ著、天野恒雄訳『カーンワイラー』(1990年、みすず書房)

●「art collectors 未来の巨匠を探して」(日本経済新聞2020年3月15日付朝刊9～11面)

●フランク・ウイン著、小林頼子、池田みゆき訳『フェルメールになれなかった男』(2014年、ちくま文庫)

●仲町啓子『美術館へ行こう 琳派に夢見る』(1999年、新潮社)

●古賀太『美術展の不都合な真実』(2020年、新潮新書)

●石鍋真澄監修『ルネサンス美術館』(2008年、小学館)

●『西洋美術研究』No.19(2016年、三元社)

●週刊朝日編『値段史年表 明治・大正・昭和』(1988年、朝日新聞社)

●にっけいあーと編集部「ビッグコレクター」(『にっけいあーと』1994年9月号、日経BP社)

●にっけいあーと編集部「ザ・ジャパンマネー」(『にっけいあーと』1990年7月号、日経BP社)

●にっけいあーと編集部「平成贋作事情」(『にっけいあーと』1991年4月号、日経BP社)

●日経アート編集部「昔がらくた今名品」(『日経アート』1995年7月号、日経BP社)

●小川敦生「美の美 早すぎた慧眼――林忠正(上)」(2008年11月2日、日本経済新聞朝刊)

●小川敦生「形のない人の意識を表現 バーネット・ニューマン展」(2010年9月22日、日本経済新聞朝刊)

●ARTISTIAN「春峯庵事件(1)浮世絵贋作事件のあらまし」(http://artistian.net/syunpoan1/#i-11、2020年4月18日アクセス)

●瀬木慎一「肉筆浮世絵の贋作〈春峯庵事件〉」(『芸術新潮』1983年7月号、新潮社)

●小川敦生「ピカソ作品の下層に見つかった新聞記事の謎」(2016年6月16日、日経ビジネスオンライン)

●NHKスペシャル「シリーズ ダビンチ・ミステリー第1集 モナリザの秘密～"透過カメラ"が真実を暴く」(2019年11月10日、NHK総合テレビ)

●「レンブラントの新たな作品発見 40年超ぶり、競売で落札の肖像画」(AFP BB NEWS、2018年5月16日、https://www.afpbb.com/articles/-/3174754、2020年5月18日アクセス)

●河野元昭編『狩野探幽』(『日本の美術』第194号、1982年7月、至文堂)

●「没後100年 五姓田義松 ―最後の天才―」展ウェブサイト(神奈川県立博物館、http://ch.kanagawa-museum.jp/exhibition/466、2020年6月14日アクセス)

●「国立国際美術館 美術作品購入一覧(平成30年度)」(国立国際美術館、http://www.artmuseums.go.jp/acquisition/nmao_h30.pdf http://www.artmuseums.go.jp/acquisition/nmao_h30.pdf、2020年7月11日アクセス)

●「KIFニュース」(2008年9月号、かながわ国際交流財団)

●メトロポリタン美術館ウェブサイトよりジャクソン・ポロック《秋のリズム(ナンバー30)》解説ページ(https://www.metmuseum.org/ja/art/collection/search/488978、2020年7月27日アクセス)

●オリオン・クラウタウ「戦後日本における近世仏教堕落論の批判と継承」(東北大学『年報日本思想史』7号、2020年3月25日、http://hdl.handle.net/10097/55541http://hdl.handle.net/10097/55541、2020年8月4日アクセス)

●「国立新美術館 平成29年度活動報告」(国立新美術館、https://www.nact.jp/english/information/report/pdf/nact_annual_H29_web.pdf、2020年8月13日アクセス)

●"Leonardo da Vinci SALVATOR MUNDI" 2017,CHRISTIE'S

掲載作品所蔵元

●サイ・トゥオンブリー《無題》個人蔵

●レオナルド・ダ・ヴィンチ《サルバトール・ムンディ》個人蔵

●レンブラント・ファン・レイン《ヤン・シックスの肖像》シックス・コレクション蔵

●フィンセント・ファン・ゴッホ《医師ガシェの肖像》個人蔵

●狩野探幽《四季花鳥図(雪中梅竹鳥図)》名古屋城総合事務所蔵

●葛飾北斎《冨嶽三十六景　神奈川沖浪裏》東京都江戸東京博物館蔵

●歌川広重《東海道五十三次之内　蒲原》東京都江戸東京博物館蔵

●葛飾北斎《北斎漫画》東京都江戸東京博物館蔵

●右田年英《年英随筆　羽衣》太田記念美術館 惠俊彦コレクション蔵

●狩野芳崖《仁王捉鬼図》東京国立近代美術館蔵

●月岡芳年《郵便報知新聞(第621号)》人間文化研究機構国文学研究資料館蔵

●高橋由一《豆腐》金刀比羅宮蔵

●アルベルト・ジャコメッティ《ヤナイハラI》国立国際美術館蔵

●パウル・クレー《山への衝動》東京国立近代美術館蔵

●ハン・ファン・メーヘレン《エマオの食事》ボイマンス・ヴァン・ベーニンゲン美術館蔵

●パブロ・ピカソ《海辺の母子像》ポーラ美術館蔵

●ジャクソン・ポロック《秋のリズム(ナンバー30)》メトロポリタン美術館蔵

●俵屋宗達《風神雷神図屏風》建仁寺蔵 京都国立博物館寄託

●佐藤友紀《ほんの一片》個人蔵

小川敦生（おがわ・あつお）

多摩美術大学芸術学科教授、美術ジャーナリスト。1959年北九州市生まれ。東京大学文学部美術史学科卒業。日経BP社の音楽・美術分野の記者、『日経アート』誌編集長、日本経済新聞社文化部美術担当記者等を経て、2012年から現職。「芸術と経済」「音楽と美術」などの授業を担当。日本経済新聞本紙、朝日新聞社「論座」、ウェブマガジン「ONTOMO」など多数の媒体に寄稿。多摩美術大学で発行しているアート誌「Whooops!」の編集長を務めている。これまでの主な執筆記事は「パウル・クレー　色彩と線の交響楽」（日本経済新聞）、「絵になった音楽」（同）、「ピカソ作品の下層に見つかった新聞記事の謎」（日経ビジネスオンライン）、「ぐちゃぐちゃはエネルギーの塊〜マーラーと白髪一雄のカオス」（ONTOMO）など。主な編著書に『美術品を10倍長持ちさせる本』『日経アート・オークション・データ』など。日曜ヴァイオリニストおよびラクガキストを名乗る。国際美術評論家連盟会員。

Twitter　@tsuao
Instagram　atsuoogawa

ブックデザイン	西垂水 敦・市川さつき（krran）
DTP	本薗直美（有限会社ゲイザー）
取材協力	内村修一　北川フラム　小山佐敏　佐野友紀　武田州左　半田昌規
写真協力	株式会社DNPアートコミュニケーションズ jenesesimre by stock.adobe.com asmakar by stock.adobe.com
デザイン制作室	今津幸弘　鈴木 薫
制作担当デスク	柏倉真理子
副編集長	田淵 豪
編集長	藤井貴志

■商品に関する問い合わせ先

インプレスブックスのお問い合わせフォームより入力してください。
https://book.impress.co.jp/info/
上記フォームがご利用頂けない場合のメールでの問い合わせ先
info@impress.co.jp

- ●本書の内容に関するご質問は、お問い合わせフォーム、メールまたは封書にて書名・ISBN・お名前・電話番号と該当するページや具体的な質問内容、お使いの動作環境などを明記のうえ、お問い合わせください。
- ●電話やFAX等でのご質問には対応しておりません。なお、本書の範囲を超える質問に関しましてはお答えできませんのでご了承ください。
- ●インプレスブックス(https://book.impress.co.jp/)では、本書を含めインプレスの出版物に関するサポート情報などを提供しておりますのでそちらもご覧ください。
- ●該当書籍の奥付に記載されている初版発行日から3年が経過した場合、もしくは該当書籍で紹介している製品やサービスについて提供会社によるサポートが終了した場合は、ご質問にお答えしかねる場合があります。

■落丁・乱丁本などの問い合わせ先

TEL　03-6837-5016
FAX　03-6837-5023
service@impress.co.jp
(受付時間／10:00-12:00、13:00-17:30 土日、祝祭日を除く)
●古書店で購入されたものについてはお取り替えできません。

■書店／販売店の窓口

株式会社インプレス 受注センター
TEL　048-449-8040
FAX　048-449-8041
株式会社インプレス 出版営業部
TEL　03-6837-4635

美術《びじゅつ》の経済《けいざい》
“名画《めいが》”を生《う》み出《だ》すお金《かね》の話《はなし》

2020年10月21日　初版発行

著　者　小《お》川《がわ》敦《あつ》生《お》
発行人　小川 亨
編集人　高橋隆志
発行所　株式会社インプレス
〒101-0051　東京都千代田区神田神保町一丁目105番地
ホームページ　https://book.impress.co.jp/
印刷所　株式会社廣済堂

ISBN978-4-295-00863-7 C0034

Printed in Japan